D1287618

LES RESSOURCES INFINIES
DE VOTRE ESPRIT

DU MÊME AUTEUR
Dans la même collection

Comment réussir votre vie
Découvrir votre dimension cosmique
Le Télépsychisme

Dr JOSEPH MURPHY

LES RESSOURCES INFINIES DE VOTRE ESPRIT

*Traduit de l'allemand
par Philippe Padet*

Âge du Verseau

ÉDITIONS DU ROCHER
Jean-Paul Bertrand
Éditeur

Titre original allemand : *Die unendliche Quelle Ihrer kraft.*

Tous droits de traduction, de reproduction et d'adaptation réservés pour tous pays.
© Prentice Hall Inc., 1974 : *Infinite Power of Richer Living.*
© Éditions du Rocher, 1994, pour la traduction française
ISBN 2 268 018019 9

INTRODUCTION

POURQUOI VOUS AVEZ BESOIN DE CE LIVRE

Dans chaque individu sommeille une force infinie. S'il sait la mettre en éveil, celle-ci peut être facteur de prospérité et d'inspiration, lui servir de balise dans l'existence ou être la source d'une guérison. Elle lui ouvrira le chemin du bonheur, de la liberté et de la sérénité, lui accordant ainsi une vie riche et marquée du sceau de la réussite.

Lors de mes conférences et séminaires organisés dans toutes les régions du globe, je suis constamment confronté à une différence fondamentale entre les individus : une partie d'entre eux est heureuse, jouit de la réussite et du confort matériel ; l'autre, en revanche, est malheureuse, victime de frustrations et de soucis financiers.

Dans tous les milieux sociaux nombreux sont ceux qui savent s'affirmer et être les auteurs d'initiatives remarquables. Robustes et vigoureux, ils contribuent de manière significative au bien-être de l'humanité. On a l'impression qu'une *énergie vitale* les habite et agit constamment en leur faveur.

D'autres, au contraire, végètent dans un sourd désespoir. Ils sont la proie d'une obscure tendance à l'ennui ou se débattent dans les contrariétés. De toute évidence, ils ne sont pas capables, par manque de confiance en soi, de relever les défis de l'existence et ce faisant de récolter les fruits de la vie.

Ce livre vous indiquera comment vaincre les déceptions et les difficultés. Les différents chapitres démontrent que pour chaque problème il existe une solution et que vous pouvez surmonter les obstacles, quels qu'ils soient, pour découvrir dans l'aube d'un jour nouveau, une vie gratifiante.

Dans les pages suivantes vous apprendrez à réveiller et à exploiter la force infinie qui réside dans les profondeurs de votre être, une force d'essence divine qui remonte aux origines. Par la naissance, Dieu vous confère le droit d'utiliser cette force à votre profit et de la laisser irriguer votre esprit, votre âme, votre corps et tous vos projets pour que vous fassiez l'expérience du bonheur engendré par une vie riche et intense dont vous serez vous-même l'instigateur. Entrez en contact avec cette force intarissable et apprenez à vous en servir dans la vie quotidienne !

Pour rendre accessibles à tous les forces illimitées et fondamentales de l'esprit, j'ai essayé de les expliquer dans une langue aussi simple et directe que possible.

Je vous engage, dans votre propre intérêt, à lire attentivement les chapitres qui suivent et à appliquer les techniques décrites. Si vous faites cela vous serez les bénéficiaires de la force infinie qui vous habite et les échecs, la détresse, le désespoir et les dépressions ne seront plus que de mauvais souvenirs. Cette force vous conduira sans détour vers votre place véritable dans l'existence. Elle écartera les obstacles et les difficultés. Elle soulagera vos manques ou votre sentiment de finitude et vous placera sur la voie de la félicité qui découle d'une vie sereine et vraiment satisfaisante.

Les possibilités insoupçonnées de l'esprit

Depuis plus de trente ans j'écris sur les forces miraculeuses de l'esprit. J'ai vu, dans mon propre pays et dans de nombreux autres, comment certaines personnes apprenaient à se servir des forces de nature spirituelle qui étaient en elles, comment leur vie s'en trouvait modifiée et comment elles obtenaient ce à quoi elles aspiraient :

– Pouvoir s'affranchir de l'autocritique et d'un sentiment de culpabilité.

– Etre reconnu, estimé et honoré selon ses mérites.

– Se protéger des dangers.

– Guérir de maladies incurables.

– Gagner en vitalité et en joie de vivre.

– Jouir du bonheur et de la paix conjugale en mettant un terme au règne de la discorde.

– Rencontrer de nouveaux amis et le compagnon idéal.

– Disposer de richesses substantielles.

– Rester serein dans un monde soumis au changement.

– Et surtout goûter la joie de la prière exaucée.

D'après mes observations les personnes qui utilisaient avec succès leur force intérieure étaient issues de toutes les classes d'âge et de tous les milieux socio-professionnels : il y avait parmi eux des étudiants, des secrétaires, des chauffeurs de taxi, des routiers, des professeurs, des ingénieurs de l'aérospatiale, des chimistes, des pharmaciens, des banquiers, des médecins, des femmes de ménage, des standardistes ou des gens du septième art.

Toutes ces personnes ont découvert la force mystérieuse et pourtant réelle de l'infini et ont, avec son aide, surmonté déconvenues, désarroi et désespoir. Souvent en un temps record, elles ont résolu leurs problèmes et se sont libérées de complications affectives et financières. Parvenues sur le chemin de la liberté, elles se sont dégagées des pesanteurs de la frustration pour s'adjuger le bonheur, la gloire et la richesse ; en un mot elles ont saisi les merveilleuses potentialités qu'offre une vie riche. Ce faisant ces personnes découvrirent la magie d'un amour aux vertus curatives, un amour qui guérit les cœurs brisés ou abattus, qui ranime les âmes et les prépare à une vie de perfection.

Comment faire des miracles dans votre vie

La caractéristique la plus marquante de ce livre est son utilité et ses applications pratiques dans la vie quotidienne. Vous n'apprendrez pas seulement à user de la force infinie qui est en vous, vous vous exercerez aussi à exploiter votre don à prévoir des événements futurs, capacité innée et pourtant négligée qui s'inscrit dans l'éventail des phénomènes parapsychiques. Ce livre vous livrera la clé des pouvoirs fantastiques de votre esprit. Il vous indiquera par exemple quelles leçons tirer d'un voyage astral ou d'expériences effectuées hors du corps.

Les grandes vérités qui agissent sur notre vie sont aussi les plus simples. Et c'est en termes simples et compréhensibles que je les ai dépeintes dans ce livre, animé par le désir de vous faire triompher au plus vite de tous les problèmes qui vous embarrassent et de vous guider vers le bonheur que vous procurera la réalisation des souhaits exprimés dans vos prières.

Votre vie deviendra chaque jour plus riche et plus belle si vous appliquez à la lettre les techniques décrites pour libérer la force infinie tapie au fond de vous-même. Si vous vous conformez à ces directives et si vous tirez parti de cette sève, vous jouirez des bienfaits de la vie à profusion !

Commencez dès maintenant, à l'aide de ce livre, à donner libre cours aux splendeurs retenues captives en vous-même et laissez tout ce qui est bienfaisant et source d'émerveillement envahir votre vie.

1

LA FORCE INFINIE AU SERVICE
D'UNE VIE NOUVELLE ET EXALTANTE

Soyez à l'écoute de la force infinie qui siège en vous et qui est en mesure de vous tirer de la maladie, de l'abattement, des épreuves et des déceptions pour vous conduire sur le chemin de la guérison, du bonheur, du bien-être et de la sécurité. Partout dans le monde j'ai assisté à des métamorphoses spectaculaires lorsque des individus mobilisèrent et libérèrent cette énergie intérieure.

Il y a plusieurs mois, par exemple, j'eus dans une clinique une discussion de deux heures avec un alcoolique complètement désespéré. Après cet entretien, il commença à faire usage de son énergie et enregistra une nette transformation : il est désormais en bonne santé, heureux et propriétaire d'un fonds de commerce prospère. Lorsqu'il capta l'énergie, elle fut le facteur de sa guérison et une mutation s'opéra immédiatement. Le rayonnement miraculeux inonda sa personne, ses problèmes s'évanouirent et la paix s'installa dans son âme torturée. Il a de nouveau un toit avec femme et enfants.

Le souffle infini qui est en vous attend d'être libéré. Il peut transformer votre vie si fondamentalement et si délicieusement qu'au bout de quelques semaines ou de quelques mois même, vos amis les plus proches ne vous reconnaîtront peut-être pas.

C'est ce qui est arrivé par exemple à un homme accusé de plusieurs meurtres et qui mène aujourd'hui une existence pieuse en aidant les autres à vivre dans le bonheur et la paix. Cet homme m'a confié la chose suivante : « Un mois après avoir commencé à utiliser l'énergie intérieure dont vous m'avez parlé je me suis regardé dans une glace et j'ai tout de suite compris que je n'étais plus le même. Je ne pourrai plus jamais commettre un crime. » Après un moment de réflexion il ajouta : « Je me demande même si j'ai vraiment été ce meurtrier. » Il avait découvert la force inhérente à sa personnalité, une force capable d'ouvrir les portes des prisons, c'est à elle, en effet, qu'il doit sa libération. La présence d'un principe salvateur permit à son âme de guérir. Dans la Bible n'est-il pas écrit : *Vers les eaux du repos il me mène, il y rassasie mon âme* (Psaume 23, 3).

En quoi la force infinie est-elle une source miraculeuse ?

Cette force infinie et mystérieuse peut être pour vous aussi la source de miracles stupéfiants. Si vous lisez les pages suivantes attentivement, vous constaterez que vous pouvez diriger cet influx, lequel vous orientera vers des idées nouvelles qui valent une fortune. Pour cela il est simplement nécessaire de posséder un esprit ouvert et la ferme volonté de mener une vie riche, heureuse, stimulante et prospère.

Pourquoi certaines personnes connaissent-elles la réussite et la satisfaction tandis que d'autres sont pauvres, miséreuses ? Pourquoi certaines personnes ont-elles confiance dans l'avenir, pourquoi vivent-elles dans une heureuse expectative, s'enrichissent-elles et ne cessent-elles de gravir les échelons de l'échelle sociale tandis que d'autres, tourmentées par les angoisses, les chagrins et les soucis, sont condamnées à un échec tragique ? Pourquoi l'un des deux frères est-il propriétaire d'une somptueuse demeure tandis que l'autre habite une location misérable ?

La réponse est simple : les individus heureux et créatifs *en utilisant la force infinie provoquent cette différence.* Car l'utilisation de cette puissance immense et mystérieuse leur apporte vitalité, bien-être matériel, joie de vivre, succès et richesse dans les proportions qu'ils souhaitent et dont ils ont besoin.

Au cours des siècles des hommes et des femmes n'ont cessé de découvrir cette énergie qui leur a permis de mettre à jour leurs talents cachés. Ils ont eu des inspirations et ont fait l'expérience d'un savoir nouveau et merveilleux puisé dans le réservoir dont leur être intérieur est dépositaire. A vous aussi, cette force peut conférer la sagesse, la puissance et le dynamisme dont vous avez besoin pour atteindre le but que vous vous serez fixé. Pour ce faire, vous devez simplement collaborer avec cette force et vous mettre à son écoute.

A l'aide de cette source inépuisable vous pourrez trouver le partenaire commercial, les amis, le compagnon idéal dont vous avez besoin. Professionnellement, vous pourrez progresser au-delà de vos rêves les plus audacieux. Et vous aurez la joie d'être, de faire et d'entreprendre ce à quoi votre cœur aspire.

Comment utiliser cette force extraordinaire ?

Dans les chapitres qui suivent vous découvrirez comment des individus de tous les horizons ont survécu de manière miraculeuse à des maladies dites incurables, comment ils ont résolu des problèmes professionnels épineux, comment ils ont su instaurer un climat d'harmonie au sein de leur famille, comment, par des méthodes simples, ils ont évité des tragédies et comment des voix occultes leur ont permis de sauver leurs proches de dangers mortels.

Vous apprendrez, par des voies prémonitoires, à acquérir une fortune, à faire pénétrer le calme et la sérénité dans une âme tourmentée, à attirer vers vous le compagnon de votre vie. Vous apprendrez, grâce à vos projections intérieures, à gagner des millions et à transformer les déboires en succès.

Vous constaterez que les méthodes nécessaires à l'exploitation de votre force intérieure sont simples, pratiques, d'application facile dans la vie quotidienne. A l'aide de techniques et de formules élémentaires vous obtiendrez non seulement la réponse à vos questions, mais aussi la solution de vos problèmes personnels. Quelques exemples : comment avoir confiance en soi et faire preuve de solidité intérieure ? Comment prier pour décrocher des succès commerciaux ou professionnels ? Comment recourir aux perceptions extra-sensorielles à son propre profit et pour le bien d'autrui ? Comment être servi par la providence divine ? Comment prier pour un malade ? Comment collaborer avec un médecin ? Comment se fait-il que certaines personnes prient et n'obtiennent pas de réponse pour autant ? Comment prier pour s'attirer les faveurs de la providence et comment identifier cette dernière ? Ce que vous devez faire pour mettre en œuvre de manière efficace les ressources inépuisables de l'Infini est décrit sans équivoque dans les pages qui suivent.

Tout le monde recherche la santé, le bonheur, la sécurité, la quiétude et un épanouissement authentique, mais nombreux sont ceux qui se disent dans leur for intérieur : « C'est trop beau pour être vrai. » Rien n'est trop beau pour être vrai. Rien n'est trop merveilleux pour n'être de longue durée. Car la puissance, la sagesse et la gloire de Dieu restent égales à elles-mêmes. Elles sont éternelles et à la disposition de chacun. Il est en votre pouvoir de modifier votre vie de manière profonde. Vous serez surpris de la facilité de ce changement.

Un serveur découvre la clé
de son ascension professionnelle

Une de mes tournées de conférences me conduisit au Canada, à Ottawa. Après l'exposé un jeune homme vint vers moi et me raconta qu'il avait travaillé pendant deux ans comme serveur dans un hôtel de New York et qu'un client de l'établissement lui avait donné mon livre *La Puissance de votre subconscient*. Il me dit qu'il l'avait lu quatre fois et, conformément aux prescriptions mentionnées dans ce livre, s'était répété chaque soir avant de s'endormir : « Je vais désormais avoir droit à une promotion, avoir droit au succès, avoir droit à la richesse. » Chaque soir il se laissait bercer par ces mots et au bout d'environ deux semaines il fut tout à coup nommé gérant de l'établissement. Neuf mois plus tard il devint responsable d'une chaîne d'hôtels. Il savait que la force qui l'irradiait était d'origine divine. « Imaginez, me dit-il, que des années entières je me suis contenté d'utiliser une portion infinitésimale de ces possibilités immenses. » Cet homme avait appris à libérer la force infinie et, grâce à elle, sa vie était désormais imprégnée d'une merveilleuse harmonie.

Une étudiante transforme un échec en succès

Il y a quelques années, une étudiante me rendit visite. Son père me l'avait envoyée parce qu'elle avait des difficultés à l'université. En discutant avec elle, je constatai qu'elle avait un bon jugement et une culture générale satis-faisante. Je demandai donc : « Pourquoi ne vous aimez-vous pas ? » Elle se mit à rougir et répondit : « Vous savez, je suis l'idiote de la famille. Mon père affirme qu'il n'y a pas grand-chose à attendre de moi, mes frères sont intelli-gents et lui ressemblent tandis que moi je suis bête comme ma mère. » Je lui rétorquai la chose suivante : « Vous êtes l'enfant de Dieu. Les forces infinies, les qualités et toute la sagesse de Dieu sommeillent en vous. Elles attendent d'être libérées et utilisées. Dites à votre père, de ma part, qu'il ne doit pas porter de jugements aussi négatifs sur son enfant. Il devrait plutôt vous encourager et vous rappeler que vous portez en vous l'intelligence infinie du Créateur et que celle-ci réagira si vous faites appel à elle. Dites-lui aussi que vous avez sans doute plus hérité de ses traits de caractère que de ceux de votre mère. »

Je lui recommandai de réciter avec ferveur la prière sui-vante chaque matin avant de partir à la faculté et chaque soir avant de s'endormir : « Je suis enfant de Dieu. Je ne sous-estimerai plus jamais mes forces intérieures pour me dévalo-riser de quelque manière que ce soit. Je loue Dieu au plus profond de moi-même. Je sais que Dieu m'aime et veille sur moi. Dans la Bible il est écrit : ... *il veille sur vous* (1. Pierre 5, 7). Tout ce que je lis et apprends est enregistré aisément par mon esprit qui me le restituera immédiatement en cas de besoin. Il émane de ma personne un amour dont le rayonne-ment atteindra mon père, mes frères, mes professeurs ainsi que ma mère décédée qui séjourne dans une autre dimension où je sais qu'elle est heureuse et libre. Une intelligence infi-nie me guide dans mes études et me révèle tout ce que je dois savoir. J'ai depuis peu une bonne opinion de moi-même car je sais que mon moi véritable c'est Dieu. Toutes les fois que j'aurai tendance à me critiquer ou à porter sur moi un jugement négatif je m'exclamerai aussitôt pleine de convic-tion : « Dieu m'aime et veille sur moi. Je suis sa fille. »

Elle pratiqua fidèlement cette technique et c'est une joie pour moi de pouvoir dire qu'elle ne tarda pas à avoir de meilleures notes et que, depuis lors, elle a mené à bien ses études en obtenant son diplôme avec mention très bien. Elle avait libéré la force infinie qui engendre une vie de plénitude. Elle n'acceptait plus les suggestions négatives de son père, mais commençait à louer Dieu dans son for intérieur. Paul ne dit-il pas : *Tout homme est le sujet de son souverain* (Romains 13, 1). Dieu est le seul souverain qui existe et toutes les forces vivantes découlent de lui.

Comment réaliser ses désirs en usant de la force infinie

Si vous appliquez à la lettre les principes expliqués et décrits dans les pages suivantes pour libérer la force infinie et parvenir à une vie de plénitude, vous ferez l'expérience de transformations merveilleuses. Vos rêves, vos aspirations, vos idées, vos projets ne sont jamais que des pensées, des représentations, des images façonnées par votre esprit. Il faut vous faire à l'idée qu'une projection mentale ou un désir ont autant de réalité que votre main ou votre cœur. Dans une autre dimension spirituelle, cette projection ou ce souhait ont déjà pris forme et acquis une substance. Il vous faut désormais apprendre à accepter votre désir, à voir en lui quelque chose de réel. Vous devez vous persuader que l'énergie qui est en vous est à même de réaliser ce désir sous les auspices de la providence divine. La force infinie qui a fait naître en vous ce désir vous fournira aussi le plan complet de sa réalisation. Vous devez simplement y croire et l'intelligence immense qui vous traverse exaucera vos vœux.

La force miraculeuse de l'Infini existait bien avant que vous et moi ne vinssions au monde, bien avant l'apparition de l'Eglise ou même de la terre. Les vérités éternelles et les principes de vie qui nous guérissent et nous inspirent, nous

17

bénissent et nous élèvent sont plus anciens que toutes les religions. Vous et moi allons maintenant entreprendre un voyage dans les territoires inexplorés de votre esprit. Nous y observerons l'action d'un principe spirituel. Nous y découvrirons la force magique, la source de guérison et de métamorphose qui sèche toutes les larmes. Nous verrons comment cette force panse les plaies des désespérés et annonce la liberté aux âmes tourmentées et dominées par la peur. Vous-même, vous briserez les chaînes de la pauvreté, de la maladie et de la déception, vous vous libérerez des servitudes de toute nature.

Pour mettre cela en œuvre vous devez simplement appliquer les méthodes scientifiques élémentaires décrites ici et vous unir par osmose mentale au bien vers lequel vous tendez. Ainsi la force infinie vous conduira à la réalisation de votre désir le plus cher.

Le voyage spirituel auquel vous vous préparez sera le chapitre le plus fabuleux de votre existence, une expérience salvatrice, une révélation. Ce voyage sera stimulant et source de joie, sans doute l'entreprise la plus gratifiante de votre existence ! Préparez-vous au départ, dès aujourd'hui ! Soyez persévérant ! Les rougeurs de l'aube ne tarderont pas à poindre à l'horizon et les ombres de la nuit s'évanouiront.

RÉSUMÉ

1. A l'intérieur de vous-même existe une force infinie qui, en vous guérissant et en vous libérant de tous les éléments négatifs qui encombrent votre vie, vous ouvre la voie du bonheur et du bien-être.

2. Si vous apprenez à capter et à exploiter cette force infinie vous ferez dans votre vie des miracles qui surpasse-

ront vos rêves les plus audacieux. Les conditions requises pour en arriver là sont un esprit ouvert et le désir intense de mener une vie vraiment enrichissante.

3. Beaucoup de personnes pensent, quand elles souhaitent quelque chose, que « c'est trop beau pour être vrai ». Mais rien n'est trop beau pour être vrai car la puissance de Dieu, sa sagesse et sa gloire sont éternelles et d'une intensité toujours égale. Elles sont accessibles à tous.

4. Le serveur d'un hôtel découvre la force qui l'habite, libère cette force et fait une carrière fantastique.

5. Une étudiante qui apprend à se libérer de son complexe d'infériorité et à ne plus accepter les suggestions négatives de son père quitte la faculté avec de bonnes notes. Elle a compris que Dieu est la seule autorité digne de ce nom.

6. Les rêves, les idées, les aspirations et les projets sont des pensées et des images qui siègent dans votre esprit et qui ont autant de réalité que votre main. Si ces pensées et ces images vous semblent réelles elles doivent se réaliser sous le signe de la providence divine.

7. La force miraculeuse de l'Infini existe depuis des temps immémoriaux. Les vérités et les principes de vie éternels sont plus anciens que toutes les religions. Ils agissent en votre faveur si vous vous associez mentalement et spirituellement au bien que vous souhaitez.

8. Appliquez avec persévérance les méthodes scientifiques et simples décrites dans les chapitres suivants. Alors, dans votre vie aussi, il se produira des miracles.

2

DES SCHÉMAS DE RÉUSSITE
POUR UNE VIE PLUS RICHE

Vous êtes né pour surmonter et domestiquer tous les obstacles de la vie. Dieu habite, circule et parle en vous. Il est le principe de vie qui siège en vous. Vous êtes un des canaux qu'emprunte le divin. Vous devez projeter sur l'écran de l'espace les caractères spécifiques de Dieu, ses attributs, sa puissance qui constituent autant d'aspects importants et merveilleux.

Ce que Dieu commence, il l'achève, qu'il s'agisse d'une étoile, d'un arbre ou de tout le cosmos. Mettez-vous en relation avec la force cosmique qui est inhérente à votre personne pour triompher dans le jeu de la vie. Si vous vous accordez mentalement et affectivement avec cette force infinie vous constaterez qu'elle vous sera utile et vous permettra de mener une vie riche sur le plan spirituel et matériel.

Sa nouvelle image de lui-même devient réalité

« Depuis dix ans je suis dans la même société, mais je n'ai jamais eu de promotion ni d'augmentation de salaire supérieure à l'inflation. Il y a dans ma vie quelque chose qui ne fonctionne pas bien. » Tels étaient les propos amers de John lorsqu'il vint me consulter pour la première fois. En discutant avec lui, j'arrivai à la conclusion que, dans le cadre de son métier, il se laissait influencer par un scénario d'échec imposé par son subconscient.

John avait l'habitude de se dévaloriser en permanence et de se dire : « Je ne vaux rien, je me fais toujours avoir, je perdrai mon boulot, je suis poursuivi par la malchance. » Il était victime de son autocritique et d'un complexe d'infériorité. Je lui expliquai que ces deux réactions sont deux poisons mentaux parmi les plus destructeurs qu'un individu puisse produire. Je lui dis que sa vitalité, son enthousiasme, son énergie et sa capacité de jugement s'en trouveraient altérés et qu'il deviendrait une épave sur le plan psychique et corporel. En outre, les affirmations négatives comme « Je ne vaux rien, je me fais avoir sans arrêt » sont des ordres donnés au subconscient qui les prend à la lettre et, par conséquent, perturbe la vie avec des blocages, des hésitations, des lacunes, des contraintes et des entraves de toute nature.

Le subconscient est comme le sous-sol qui absorbe les semences de toutes sortes, bonnes et mauvaises, et leur fournit la nourriture nécessaire à leur croissance.

John me demanda : « Est-ce la raison pour laquelle, lors des réunions d'affaires, je suis régulièrement ignoré ou berné ? » « Bien sûr, répondis-je, puisque vous avez façonné dans votre esprit une image totalement négative de vous-même et que vous attendez, conformément à cette image, d'être ignoré et laissé pour compte. » John retenait en lui-même les choses positives et confirmait par là même l'ancestrale sagesse biblique : *Toutes mes craintes se réalisent et ce que je redoute m'arrive* (Job 3, 25).

Pour aider John à se libérer des schémas d'échec et d'inhibition je lui conseillai de méditer cette vérité profonde : *Non, frères, je ne me flatte point d'avoir déjà saisi ; je dis seulement ceci : oubliant le chemin parcouru, je vais droit de l'avant, tendu de tout mon être, et je cours vers le but, en vue du prix que Dieu nous appelle à recevoir là-haut, dans le Christ Jésus* (Epître aux Philippiens, 3, 13-14).

John me demanda encore : « Comment oublier toutes ces brimades, toutes ces humiliations ? C'est très difficile. »

C'est possible, mais il faut être déterminé à laisser tomber le passé et avoir les yeux rivés sur le succès, les résultats positifs et la réussite professionnelle. Votre subconscient s'imprègne de tout ce que vous ressentez réellement en pensées et en paroles. Si, par habitude, vous avez tendance à vous dévaloriser, vous devez immédiatement modifier vos pensées et les orienter vers des choses positives.

John comprit qu'il était illogique et absurde de traîner avec soi un fardeau mental hérité du passé et d'encombrer l'avenir de déceptions et de déconvenues. Ceci équivaudrait à porter des journées entières sur les épaules une pesante barre de fer et à se retrouver dans un état de fatigue ou même d'épuisement total. Dès lors, quand John était assailli par un sentiment de culpabilité et d'autocritique, il orientait aussitôt son esprit vers des choses positives en se disant : « J'ai droit au succès et à l'harmonie, je vais avoir un avancement. » Au fil du temps, il finit par remplacer le schéma négatif par une pensée positive et constructive.

Je lui recommandai une technique simple pour laisser cette empreinte dans son subconscient : il devrait imaginer sa femme en train de le féliciter à la suite de son avancement et de le prendre dans ses bras en lui disant tout son bonheur. Il devrait visualiser cette scène aussi souvent que possible, en particulier avant de s'endormir.

L'esprit de John façonna une image très vivante de la scène en détournant son attention des détails du quotidien. Son corps se détendit et son œil intérieur se concentra sur son épouse. Il eut mentalement la discussion suivante avec elle : « Ma chérie, on m'a proposé un meilleur poste aujourd'hui. C'est magnifique. Mon chef de service m'a félicité. Je vais gagner cinq mille dollars de plus par an ! C'est super ! » Puis il imagina la réponse de sa femme, entendit sa voix, vit son sourire et ses gestes.

Tout cela s'est réellement déroulé dans son esprit. Petit à petit ce scénario mental qui se projetait comme un film dans sa conscience s'implanta dans son subconscient. Il y a quelques jours, il est venu me voir et m'a dit : « J'ai été nommé responsable de secteur. C'est grâce aux projections mentales. »

John a découvert en lui la manière dont l'esprit travaille. Il a compris qu'un nouveau schéma de pensée fait de représentations mentales positives s'est progressivement infiltré dans les couches profondes de son subconscient, qui a été activé par ce « cinéma intérieur » et a mobilisé toute l'énergie nécessaire à la réalisation de son vœu le plus cher.

Dans la Bible il est dit : ... *et s'il n'hésite pas dans son cœur, mais croit que ce qu'il dit va arriver, cela lui sera accordé* (Evangile selon saint Marc 11, 24). C'est en ces termes simples que vous est révélée la possibilité d'atteindre ce que vous désirez, à condition d'y croire et de vivre dans une heureuse expectative. John avait appris à croire dur comme fer à la possibilité d'un avancement et d'une augmentation de salaire. Il avait appris à gagner le respect et la reconnaissance d'autrui. Il lui arriva ce à quoi il croyait.

John est aujourd'hui un autre homme, quelqu'un d'heureux. La joie de vivre et l'enthousiasme inondent sa vie. Son regard est rayonnant, sa voix a un timbre nouveau qui révèle confiance en soi et respect de soi.

Un million de dollars par la volonté de l'esprit

A Palm Springs, un homme d'âge avancé me confia que, jusqu'à quarante ans, il avait mené une vie jalonnée par les

déceptions, les échecs, l'abattement et un profond désespoir. Mais un jour il avait assisté à San Pedro, sa ville
natale, à une conférence du regretté docteur Hary Gaze qui,
en son temps, avait parcouru le monde pour donner des
séminaires.

Cet homme me raconta qu'il avait toujours souhaité posséder un cinéma, mais, dans sa vie, tout avait toujours marché de travers et l'argent lui avait fait défaut. A la suite de
la conférence du docteur Gaze, qui l'avait profondément
marqué, il avait commencé à croire en lui-même et en son
potentiel intérieur. Il s'était donc mis à répéter avec acharnement l'affirmation positive suivante : « Je sais que je
peux réussir, je serai propriétaire d'une salle de cinéma. »

Aujourd'hui il possède deux cinémas et il est multi-
millionnaire. Il a balayé des obstacles apparemment infran-
chissables. Son subconscient a réalisé son désir parce qu'il
le ressentait sincèrement et voulait vraiment connaître le
succès.

Votre subconscient connaît votre motivation intérieure et
vos convictions réelles. Vous ne pouvez pas le tromper. La
Bible affirme : *Toutes tes entreprises réussiront et sur ta
route brillera la lumière* (Job 22, 28).

La formule magique de cet homme était une image mentale. Il portait cette image en lui et lui resta fidèle si bien
qu'elle se scella dans son subconscient qui lui procura,
finalement, tout ce dont il avait besoin pour réaliser son
désir.

Une actrice surmonte son trac et ses échecs

Un jour une jeune comédienne me rendit visite parce
que lors des représentations et des répétitions elle était sai-
sie d'une peur panique. Trois fois déjà elle avait échoué à
des castings.

Je m'aperçus très vite que son problème réel était sa vision mentale de la panique devant la caméra et qu'elle se condamnait elle-même comme Job en son temps : *Toutes mes craintes se réalisent et ce que je redoute m'arrive* (Job 3, 25).

J'expliquai à cette jeune comédienne l'influence de notre pensée et le mode de fonctionnement de la conscience et du subconscient. Elle finit par reconnaître que si elle concentrait son attention sur des pensées constructives elle serait à même, par automatisme, de transposer dans sa vie le bénéfice de ces pensées. Elle élabora elle-même un programme qui devait lui permettre de se projeter dans l'avenir avec sérénité. Elle connaissait désormais la loi fondamentale qui gouverne les esprits, qui donne une réalité à tout ce que l'on affirme être, à condition, bien entendu, d'être profondément convaincu de la validité des affirmations que l'on porte sur soi-même. Plus on affirme avoir peur, plus le sentiment de peur sera grand. Plus on se persuadera de sa confiance en soi et dans le monde extérieur, plus le sentiment de sécurité et de sérénité se développera.

Je proposai à l'actrice de dactylographier sur une fiche les pensées suivantes pour la soulager :

– Mon âme est remplie d'un sentiment de paix, de sécurité, d'équilibre et de quiétude.

– Je ne redoute rien de mauvais car Dieu est en moi.

– Je suis toujours sereine, calme et détendue.

– J'ai foi en l'avenir et je m'en remets à la seule puissance qui existe, Dieu.

– Je suis née pour maîtriser la vie, avoir du succès et triompher.

– J'aurai du succès dans toutes mes entreprises.

– Je suis une actrice de talent et adulée.

– Je ressens de l'amour et de la pureté à l'égard de moi-même, je fais corps avec Dieu.

Elle porta cet « aide-mémoire » en permanence sur elle. En train, dans l'avion et durant les pauses fréquentes qui jalonnent la journée, elle se concentra sur les vérités stipulées sur cette fiche et les connut par cœur au bout de quelques jours. En les répétant de manière opiniâtre elle réussit à les insuffler à son subconscient. Elle constata que ses affirmations dégageaient des vibrations fortifiantes pour son esprit car elles neutralisaient les schémas nocifs de peur, de doute et d'insuffisance contenus dans son subconscient. Les premiers effets ne tardèrent pas à se manifester et elle devint effectivement plus sereine, plus calme, plus détendue et plus sûre d'elle. Elle venait de découvrir la force cosmique qui sous-tend une vie riche.

Elle consacrait cinq à six minutes le matin, l'après-midi et le soir à une technique simple : elle s'asseyait tranquillement sur une chaise, détendait son corps et s'imaginait être devant une caméra, détendue, calme, sereine. Elle se voyait adulée par le public et se représentait la joie d'entendre les félicitations du scénariste et de son agent. Elle jouait son rôle à merveille comme sait le faire une actrice de talent, lui donnant une forme concrète et vivante dans son esprit. Elle savait que la force infinie qui déplace notre planète la parcourait aussi par l'intermédiaire de cette image mentale et la contraignait à accomplir une performance grandiose.

Quelques semaines plus tard, son agent la fit participer à de nouveaux castings. Cette fois-là, elle était si enthousiaste et tellement animée d'une volonté de triompher qu'elle accomplit une prestation parfaite. Aujourd'hui, elle vole de succès en succès et est en bonne voie pour devenir une star.

Le succès et la fortune
sont le produit de votre être intérieur

Au « Kona Inn », à Hawaï, j'eus une conversation intéressante avec un homme qui me raconta une histoire fantastique qui s'était produite dans sa jeunesse. Il était originaire de Londres et sa mère lui avait dit dans sa plus tendre enfance qu'il était venu au monde dans des conditions misérables, contrairement à son cousin qui, lui, était né dans une maison cossue. Tel était l'équilibre voulu par Dieu. Plus tard, il repensa à cette affirmation : sa mère avait sans doute voulu dire que, dans une vie antérieure, il avait vécu dans un milieu aisé et que Dieu réglait ses comptes. Dans sa justice compensatrice, il le renvoyait sur terre pour vivre dans des conditions difficiles.

« Tout cela me semblait absurde, me dit-il. Je pensais que Dieu ne regarde pas la personne, mais produit un individu qui est le résultat de ses propres convictions. Ainsi se trouve-t-il des gens richissimes qui peuvent avoir une spiritualité et une lumière intérieure. En revanche, la pauvreté matérielle n'empêche nullement un individu d'être méchant, égoïste, envieux ou cupide. »

Durant son adolescence à Londres, cet homme avait été vendeur de journaux et laveur de carreaux. Plus tard, il avait suivi des cours du soir, puis des études universitaires. Aujourd'hui, c'est un des chirurgiens les plus renommés d'Angleterre. Sa devise est : « On suit toujours sa vision intérieure. » Cette vision consistant à devenir chirurgien, la réaction de son subconscient fut de donner vie à l'image mentale qui siégeait dans sa conscience.

Le père de son cousin était milliardaire. Il avait fait donner des cours particuliers à son fils, lui avait donné la possibilité de s'enrichir l'esprit par des voyages à travers l'Europe et l'avait envoyé à Oxford. Il lui avait procuré des domestiques, des voitures et de l'argent plus qu'il n'en faut. Pourtant, en dépit de ces conditions de départ, le jeune homme avait manifesté une tendance à l'échec. On l'avait traité avec beaucoup trop d'indulgence si bien qu'il n'avait pu acquérir la moindre confiance en soi. Il n'avait jamais eu l'occasion de prendre une initiative, de négocier des difficultés, de surmonter des obstacles. Personne ne lui avait jamais dit que tout dépend des qualités mentales et de la foi dans la vie. Incapable d'affronter l'existence, il finit par sombrer dans l'alcoolisme.

Lequel de ces deux hommes était et est le plus riche, lequel le plus pauvre ? Le chirurgien a su dominer les handicaps de son origine de manière brillante. Il me confia qu'il était reconnaissant à la vie de lui avoir fait gravir un chemin difficile. « La justice est une affaire de l'esprit et si une personne est disposée à se tuer au travail pour une somme dérisoire, elle ne recevra jamais que cette somme et rien d'autre. »

Cet homme avait compris très tôt que la richesse, la réussite, les performances et le bien-être sont des conquêtes de l'esprit car on récolte ce qu'on sème dans son subconscient.

La clé magique du succès

Il y a peu, un homme me confessa : « Je n'ai jamais eu de chance dans la vie. Mes parents étaient très pauvres, nous n'avions jamais assez à manger. A l'école, je rencontrais des garçons dont les pères étaient riches. Ils avaient de belles maisons avec piscine, des voitures... La vie est tout simplement injuste ! »

Je lui fis comprendre que les souffrances engendrées par la pauvreté sont souvent un stimulant. Elles peuvent conduire un individu vers les cimes de la réussite. Une belle demeure avec piscine, la richesse, le prestige, le succès sont des représentations de l'esprit humain indissociable de l'esprit infini de Dieu.

Puis je lui montrai comment beaucoup de gens pensent de manière illogique, irrationnelle et peu scientifique. Ils disent, par exemple, que la naissance d'Helen Keller est une injustice parce qu'elle a été privée dès son plus jeune âge de l'ouïe et de la vue. Or elle a appris à puiser dans les richesses de l'esprit. De ses yeux bleus, elle a « vu » – sans doute mieux que la plupart des gens – toutes les couleurs que fait naître le faste d'un opéra, elle a « entendu » les crescendos et les diminuendos des instruments, la beauté des solos, la palette harmonique de l'orchestre, elle a été sensible aux vocalises de la soprano et à toutes les notes d'humour contenues dans le morceau qui se jouait dans son esprit.

Helen Keller a accompli une foule de choses positives. Par la méditation et la prière, elle a éduqué son œil intérieur et a soulagé spirituellement et moralement des sourds et des aveugles dans le monde entier. Elle a aidé des milliers d'infirmes et de handicapés à avoir confiance en soi et foi dans la vie, elle leur a inoculé de la joie de vivre et les a motivés spirituellement de manière prodigieuse. En fait, elle a réalisé un nombre de choses qui va bien au-delà de ce qu'entreprennent la plupart des gens qui voient et entendent normalement. Ses écrits et ses témoignages parlés nous montrent qu'elle ne se sentait ni malheureuse ni exclue à cause de son destin. Il n'y a ni privilégiés ni laissés pour compte !

L'homme qui disait n'avoir aucune chance dans la vie avait été profondément marqué par l'histoire d'Helen Keller. Sur mes conseils, il programma son succès et nota une prière qu'il récita à raison de trois fois quinze minutes par jour avec toute la conviction requise.

Je vous en livre la teneur : « J'occupe dans la vie la place qui me revient et je fais ce vers quoi je tends. Je suis heureux. J'ai une belle maison, une femme généreuse et admirable, une voiture neuve et moderne. L'éventail de mes talents est large et Dieu m'indique les voies à suivre pour servir mes semblables. J'accepte volontiers la chance nouvelle et merveilleuse qui m'est offerte en ayant foi dans l'avenir. Je sais que Dieu, à travers toutes mes entreprises, me conduit vers plus d'épanouissement. Je crois au bienêtre, à la sécurité et me réjouis de ces sentiments. Je crois que désormais des possibilités merveilleuses s'offrent à moi. Je crois qu'une bénédiction que je n'avais pas osé espérer dans mes rêves les plus hardis va se répandre sur moi. »

Cet homme se fit dactylographier ces suggestions positives sur une fiche qu'il portait en permanence sur lui. Trois fois par jour, il les répétait régulièrement et systématiquement pendant quinze minutes. Dès qu'il était saisi de peur ou de contrariété, il sortait sa fiche et récitait ces vérités car il savait que des pensées négatives sont toujours chassées et étouffées par des pensées constructives et motivantes.

Il avait compris que les productions de l'imaginaire, si elles sont réitérées, crues et attendues, sont transmises au subconscient. Celui-ci réalise les choses dont on l'imprègne par le cœur et la pensée car il réagit en fonction des processus mentaux d'un individu et a une conduite pour ainsi dire autonome.

Huit mois plus tard, il était marié, propriétaire d'une belle maison et d'un fonds de commerce que sa femme lui a acheté. Il fait désormais ce dont il a toujours rêvé et il est heureux. Il est même membre du conseil municipal, il soutient les scouts américains et plusieurs organismes d'utilité publique. Cet homme a trouvé la clé magique du succès et exploité avec opportunité la chance dont chacun d'entre nous est le détenteur.

Un représentant de commerce fait un bond dans sa carrière

Le représentant d'un laboratoire de produits pharmaceutiques n'avait pas progressé d'un échelon en huit ans de service, contrairement à certains de ses collègues qui lui semblaient nettement moins qualifiés. Son problème découlait d'un profond sentiment d'infériorité. Dès qu'il se présentait quelque part, il croyait faire l'objet d'un rejet. Il est évident qu'avec de telles idées il ne pouvait pas augmenter son chiffre d'affaires.

Je lui conseillai d'être plus complaisant à l'égard de lui-même et d'avoir plus d'amour-propre car le moi profond est en fait une émanation de Dieu. Je lui dis qu'il était la maison que Dieu habite et qu'il devait ressentir un respect pur et authentique à l'encontre de la réalité divine présente en lui-même, une réalité qui l'a créé, lui a fait don de la vie et lui a conféré des forces surnaturelles. Ces forces lui permettraient de venir à bout des obstacles, d'accéder au bien-être et à un épanouissement suprême ; elles lui donneraient la possibilité de mener une vie riche et heureuse.

Le représentant s'aperçut très rapidement qu'avec la même dépense d'énergie mentale, il pouvait envisager l'avenir de manière aussi constructive qu'il l'avait fait naguère de manière destructive. Il résolut de ne plus penser aux raisons de son échec et de se concentrer sur des facteurs de progrès susceptibles de le faire aboutir au succès. Sa formule spirituelle était la suivante :

« A partir de maintenant, j'attribue à ma vie une nouvelle valeur. Je suis conscient de ma valeur réelle. Je cesse de me rejeter et je ne me rabaisserai plus jamais. Toutes les fois qu'une pensée corrosive s'emparera de mon esprit je m'exclamerai plein de conviction : Que Dieu soit loué en moi-même ! Je respecte et j'honore ma personne qui est une parcelle divine. J'éprouve un sentiment de déférence sans tache à l'égard de la force infinie que je renferme. Elle est omnisciente et d'une sagesse sans bornes. Elle est le signe de la toute-puissance de Dieu, de sa présence sans cesse renouvelée, elle se reconstitue éternellement. Désormais, jour et nuit, je vais de l'avant, je progresse, je grandis moralement et spirituellement. Il en va de même pour ma réussite professionnelle. »

Trois fois par jour le représentant s'isolait dans un coin tranquille pour s'imprégner de ces vérités qui, petit à petit, se mirent à irriguer toute sa personne d'une sensation d'équilibre et de calme, bref à lui restituer sa véritable valeur.

31

Environ trois mois plus tard, il devint directeur des ventes pour tout le Middle West. Il y a peu, il m'envoya une lettre : « Grâce à vous je suis spirituellement et matériellement dans une phase ascendante. »

En plus des méditations mentionnées ci-dessus, je lui avais recommandé l'ancestrale technique du miroir pour lui permettre de cerner plus rapidement sa véritable valeur et sa place dans le tissu de la vie, de se percevoir comme un être unique possesseur de talents et de facultés extraordinaires qui n'ont pas encore été révélés. Je cite un extrait de sa lettre :

« Chaque matin après mon rasage, je me regarde dans le miroir et je me persuade instamment : "Peter, objectivement, tu as tout pour plaire. Ta vie coule au rythme des succès, tu débordes de confiance en toi et tu es très riche. Ta vie regorge d'amour et d'harmonie, tu es inspiré par Dieu. Dieu et moi, nous ne faisons qu'un et être associé à Dieu signifie avoir la majorité absolue." J'applique ce procédé chaque matin. Je suis stupéfait par le nombre de modifications incroyables qui ont eu lieu dans ma vie familiale et professionnelle, dans ma situation financière et dans mes relations. Il y a trois mois que vous m'avez initié à ces deux techniques et je me retrouve directeur des ventes pour le Middle West. »

Cet homme s'était identifié aux postulats dont il se nourrissait. Il avait façonné une nouvelle image de lui-même et apporté à son âme un sentiment d'équilibre et de confiance en soi. Il avait ardemment fait appel au pouvoir du subconscient, convaincu du fait que ce dernier réagirait à une activité mentale consciente. Il a expérimenté sur lui-même cette superbe vérité tirée des textes sacrés : ... *Si tu peux, reprit Jésus, tout est possible à celui qui croit !* (Marc 9, 23.)

Un chef de service surmonte ses défauts

Le directeur des ventes d'une grande société qui avait besoin de conseil dans l'exercice de son métier m'avoua que ses subordonnés le tenaient pour un homme dominateur, excessivement critique et irascible. Il changeait constamment de collaborateurs et le directeur de la firme lui avait déjà manifesté ses réserves concernant ces nombreux licenciements.

Je lui fis comprendre que la volonté d'affirmer son autorité de manière excessive est souvent le signe d'une fragilité intérieure, une volonté qui vise seulement à suggérer l'apparence de la confiance en soi. Un individu peut très bien avoir une attitude de réserve, ne pas donner dans l'autoritarisme et, ce faisant, être tout à fait sûr de soi. Une personne bruyante et « grande gueule » peut à l'opposé manquer de franchise et de force intérieure.

Sur mes conseils cet homme commença à féliciter son personnel quand les prestations le justifiaient. Dès le début, il fut surpris de constater qu'il recevait presque toujours une réponse amicale en retour, car ses félicitations confortaient ses employés dans leur motivation. Il abandonna ses habitudes critiques et ses remontrances qui avaient empoisonné l'atmosphère de son service et cessa de se dévaloriser lui-même, ce qui, à vrai dire, était la cause réelle de ses difficultés.

Pour remédier à son tempérament grincheux, il mit en pratique une technique respiratoire particulière. En inspirant profondément il proclamait avec force : « Je suis... » et en expirant lentement : « ... calme ». Au fil du temps il parvint, entre l'inspiration et l'expiration, à conserver longtemps le volume d'air. Au début il pratiqua cet exercice entre cinquante et cent fois jusqu'à ce que sa forme s'améliore. Aujourd'hui il dit obtenir de très bons résultats en disant : « Je suis calme » pendant l'inspiration et en répétant la phrase lors de l'expiration. Il a perçu la vertu physiologique étonnante de la respiration en profondeur qui suscite automatiquement une sensation de bien-être et favorise la réceptivité du subconscient aux idées constructives.

En complément des exercices respiratoires, il accomplissait, plusieurs fois par jour, un exercice spirituel consistant à s'imprégner du texte suivant :

« Dès maintenant je cesse de me dénigrer. Je sais que personne au monde n'est parfait et que mes collègues ne peuvent être irréprochables à tous points de vue. Je suis satisfait de leur motivation, de leur tonus et de l'intérêt qu'ils portent aux résultats. Pour moi, chacun de mes collaborateurs témoigne en permanence de ces qualités.

Je suis fermement convaincu que tout ce que j'entreprends est bien fait et que j'acquiers chaque jour toujours plus de confiance en moi. Je sais que la confiance en soi et la sûreté de jugement sont des habitudes que je peux m'approprier aussi facilement que j'ai arrêté de fumer il y a peu de temps encore. Je remplace la timidité par un sentiment de confiance et par la foi fervente en la force infinie qui m'habite et qui réagira au caractère positif de mes nouvelles habitudes de pensée. Je m'adresserai à mes employés en termes cordiaux, je louerai la parcelle de divinité qui est en eux et je me dirai sans arrêt : "Par l'énergie divine qui me fortifie je peux tout obtenir." Si le doute m'assaille je le chasserai aussitôt par les mots suivants : "Je loue Dieu dont je suis le médium." »

Trois fois par jour le chef de service scanda à six reprises ces principes. Il s'imprégna de leur contenu. En prononçant chaque mot d'un ton calme et convaincu il se rendait compte de ce qu'il faisait et pourquoi il le faisait. Ainsi put-il jeter les bases de nouveaux processus mentaux.

Six semaines plus tard, il était déjà un autre homme, serein et équilibré psychiquement. En l'espace de quelques années il accéda au poste de vice-président de la société et il a aujourd'hui un traitement qui est amplement supérieur à celui de l'époque où il était chef de service.

La Bible a raison de dire : ... *que le renouvellement de votre jugement vous transforme...* (Épître aux Romains 12, 2).

RÉSUMÉ

1. L'homme a pour vocation de surmonter tous les obstacles en s'appuyant sur la force du Tout-Puissant, une force dont il est le siège et qui attend d'être sollicitée.

2. Les personnes qui échouent dans le métier qu'elles ont choisi projettent généralement dans leur subconscient un scénario d'échec dont elles sont porteuses dans leur conscience. Ces personnes doivent modifier l'image mentale qu'elles ont d'elles-mêmes et imaginer très concrètement la réalisation de leurs projets, se projeter mentalement dans une vie ponctuée de bons résultats et de succès. Leur subconscient réagira en conséquence et les forcera, pour ainsi dire, à réussir car la loi selon laquelle le subconscient réalise ce que l'on se représente en pensée est d'une logique implacable.

3. Abandonnez tout sentiment de culpabilité. Oubliez le passé et contemplez avec votre œil intérieur les choses qui vous poussent en avant et vous motivent, comme la réussite, le triomphe, le succès. Vous obtiendrez ce que vous visualisez mentalement.

4. Si vous êtes tenté par le sentiment de l'humiliation convertissez immédiatement vos pensées négatives en leur contraire et mettez fortement en valeur les contours positifs de votre personne.

5. Vous devenez ce que vous affirmez être, à condition bien entendu de tenir pour vrai ce que vous affirmez de vous-mêmes. Les représentations mentales sont transmises

au subconscient par répétition et par l'attente fervente de leur concrétisation.

6. Dites-vous : « Je sais que je peux connaître la réussite. J'atteindrai les buts que je me propose. Je serai ce que je désire être. Et je sais que cette décision loyale envers moi-même et cette profonde conviction auront des conséquences sur ma vie. Je sais que le subconscient est fiable, qu'il engendrera et fera apparaître dans ma vie tout ce dont je l'ai imprégné par ma pensée et ma ferveur. »

7. Si vous avez le trac imaginez que vous êtes adulé et que la personne qui vous aime vous félicite pour votre sang-froid et la qualité de votre performance.

8. Vous vous dirigez toujours vers votre vision intérieure, indépendamment de votre lieu de naissance, qu'il s'agisse d'un quartier déshérité ou d'un palace. On est riche par ce que l'on possède à l'intérieur de soi. Dieu ne regarde pas la personne. A chacun selon sa croyance.

9. Helen Keller devint sourde et aveugle dès son plus jeune âge. Elle a pourtant accompli des choses magnifiques grâce à la lumière cosmique intérieure qui illuminait son cœur.

10. Une des formules les plus appropriées pour s'attirer le succès consiste à dire plein de conviction : « Dieu m'ouvre des voies meilleures pour servir l'humanité. »

11. Devenez conscient de votre vraie valeur ! Comprenez *dès maintenant* que vous êtes un foyer unique où se révèle la puissance divine.

12. Si vous souffrez d'un complexe d'infériorité ou d'un manque de confiance en vous, imprégnez votre subconscient des vérités suivantes et transformez-les en habitude de pensée par la répétition : « J'honore et je loue Dieu en moi-même. J'ai le plus grand respect à l'égard de cette présence divine. » Cette manière de penser est le fondement de la confiance en soi.

13. Les félicitations fortifient la confiance en soi de vos collaborateurs. Félicitez toute personne qui a fait du bon travail et pensez que sur cette terre personne n'est parfait. Cette attitude bannira les remontrances et les réactions agressives qui sont le symptôme d'une fragilité intérieure et d'un sentiment de culpabilité.

3

COMMENT ACQUÉRIR DU POUVOIR SUR SOI ET CONTRÔLER SA VIE

Toutes les lettres que je reçois en provenance du monde entier et de toutes les régions de mon pays montrent que la plupart des gens sont soumis, dans leur destinée et leur situation financière, à de fortes turbulences.

Un exemple tiré de cet abondant courrier : « Pendant quelques mois ma santé est bonne, mes finances vont bien, et puis, tout à coup, je me retrouve à l'hôpital ou bien il m'arrive un accident qui entraîne des dommages financiers. » Un autre témoignage : « Parfois je suis heureux, gai, plein d'énergie et d'enthousiasme et puis, subitement, je suis saisi par une vague de dépression. Je ne comprends pas. »

On n'est pas exposé à de tels bouleversements de manière inéluctable. Au moyen des récits qui suivent, je vais vous montrer comment vous pouvez dominer votre destin et éviter les passages à vide.

Un homme d'affaires très occupé
apprend à diriger sa vie

Je viens de traiter le questionnaire psychologique d'un homme d'affaires qui – pour reprendre ses propres termes – avait atteint il y a quelques mois « le haut du panier » avant que le ciel ne lui tombe sur la tête. Il n'avait plus de maison, sa femme l'avait quitté ; en outre il avait perdu une fortune en actions.

Il voulut savoir pourquoi il était monté si haut pour retomber aussi vite dans un gouffre : « Qu'ai-je fait de mal ? Comment maîtriser mon existence sans avoir à subir ces hauts et ces bas déprimants ? »

Cet homme d'affaires voulait éviter les perturbations de la vie et mener une existence équilibrée. Je lui expliquai qu'il pouvait piloter sa vie exactement comme la voiture qui l'emmenait chaque matin au bureau, à condition de respecter le code de la route, bien entendu. Le feu est au vert : on démarre, on lève le pied de la pédale de frein et on accélère. Le feu est au rouge : on s'arrête jusqu'à ce que l'on puisse repartir. Et finalement, sous l'œil de la providence, on arrive à son lieu de destination.

Je lui remis un texte visant à le stimuler en l'enjoignant de réciter avec force les vérités qui y étaient contenues le matin avant de partir à sa société, le midi après le repas et le soir avant de s'endormir :

« Je sais que je peux agir sur l'univers de mes pensées. Je garde le contrôle de celles-ci avec la possibilité de les concentrer sur mes désirs. Je sais qu'il y a en moi une présence et une force divine que je mets en alerte et qui réagiront à ma sollicitation mentale. Mon esprit est d'essence divine. En lui je fais se refléter la sagesse et la puissance du Créateur. Je suis sûr de moi, équilibré, de bonne humeur et calme. Les pensées de Dieu occupent mon esprit et y exercent un contrôle absolu. Je ne suis plus la proie des problèmes de santé ni d'un déséquilibre affectif et financier. Mes idées et mes paroles seront toujours constructives et créatrices. Mes prières feront naître en moi les vérités divines pleines d'amour et de bonté. Elles donneront à mes pensées et à mes paroles une grande force d'innovation. La sagesse de Dieu agit à travers moi et me révèle tout ce que je dois savoir pour parvenir à la paix intérieure. »

L'homme d'affaires prit l'habitude de réciter cette prière en la proclamant mentalement de manière régulière et systématique. En peu de temps, il acquit ainsi un équilibre mental et psychologique, une sérénité intérieure et put jouir d'une harmonie avec le monde extérieur. Il ne souffre plus de ces hauts et de ces bas dont il se plaignait et mène désormais une vie reposante, harmonieuse et stimulante.

La Bible nous dit : *C'est un dessein arrêté : tu assureras la paix qui t'est confiée* (Isaïe 26, 3).

Une enseignante surmonte son sentiment d'étranglement

Une enseignante venue me consulter commença à répondre au questionnaire psychologique que je lui soumettais par les réflexions suivantes : « Je suis une nullité. Je vais de déception en déception. Je me sens oppressée par ces échecs. En amour, je ne suis pas à la hauteur. Je suis malade, physiologiquement et psychologiquement. J'éprouve des sentiments de faute et je me trouve intellectuellement limitée. Henry Thoreau avait raison de constater que la plupart des gens ont une vie placée sous le signe d'un sourd désespoir ! »

Cette jeune femme était très attirante. Elle était aussi intelligente et cultivée. Mais devant moi elle ne cessait de se dévaloriser, de se maudire et de culpabiliser. Ce venin mental et psychologique lui pompait toute sa vitalité, la privait de tout enthousiasme et de tout tonus, provoquant ainsi cette dérive psychique et physique.

Je décidai de lui montrer que l'homme souffre de la neurasthénie et de la maladie consécutives aux aléas de l'existence tant qu'il n'est pas déterminé à prendre les commandes et à penser en termes constructifs.

Si nous ne faisons pas cela, nous subissons l'influence fatale de la pensée de masse qui se cramponne aux maladies, aux accidents, à la poisse et au malheur. Il n'est pas étonnant qu'avec de telles idées nous ayons le sentiment d'être soumis aux circonstances extérieures et à l'arbitraire de notre entourage, d'avoir l'impression d'être les victimes de notre origine, de notre éducation et de nos tares congénitales. Mais le contraire est vrai : l'état de notre psychisme, nos convictions nous conditionnent et déterminent notre avenir. Je fis savoir à cette enseignante que l'état dans lequel elle se trouvait était dû tout simplement au poids de l'habitude et à la virulence de mille pensées destructrices, à des images mentales et à des sensations qui, par des mécanismes conscients et inconscients, s'étaient figées en elle au fil des ans sous la forme de l'habitude.

« Vous disiez, ajoutai-je, que vous avez fait de nombreux voyages en Europe, en Extrême-Orient et en Amérique du Nord. Mais, *à l'intérieur de vous*, vous n'êtes allée nulle part. Vous êtes comme un liftier qui se lamente : "Je monte et je descends toute la journée, mais je n'arrive nulle part dans la vie." Vous répétez sempiternellement les mêmes schémas de pensée fatidiques en subissant nécessairement leur influence nocive dans le cadre de votre comportement routinier. En outre, vous êtes en permanence dans un état d'hypersensibilité et d'énervement qui détériore votre relation avec vos supérieurs hiérarchiques, vos élèves et l'administration scolaire. »

La jeune femme se résolut à faire volte-face de manière décisive et à s'écarter de la routine traditionnelle pour goûter enfin tous les côtés positifs de la vie. Plusieurs fois par jour elle répétait les vérités suivantes, convaincue que tout ce qu'elle accepterait consciemment trouverait le chemin de son subconscient et que, moralement et psychologiquement, elle pouvait se tourner vers le succès, la fortune et la joie de vivre :

« Je vais faire un voyage spirituel au cœur de mon être pour y découvrir, dans les couches profondes, la chambre au trésor qui renferme une force infinie. Je m'écarterai avec détermination de mes manières d'agir et de penser routinières pour m'engager dans une voie positive. Chaque matin j'irai à l'école par un chemin nouveau et je reviendrai par un autre le soir. Je cesserai de penser à la manière des manchettes alarmistes de la presse et je renonce à l'opinion selon laquelle nous sommes livrés à la misère, à l'oppression, à la maladie, à la guerre et à la criminalité. Je sais que tout ce dont je fais l'expérience dans ma vie est issu de mon univers mental qui est conscient et influence la pensée subconsciente. Je reconnais que lorsque je ne pense pas par moi-même je suis sous le pouvoir de l'esprit de masse qui influence mon subconscient, ce qui a des effets extrêmement négatifs et destructeurs.

« Dans mon esprit et mon âme éclate une révolution. Je sais que ma vie sera métamorphosée par le renouveau de mon attitude mentale. Je cesse à l'instant de faire des histoires, de me cabrer et de lutter mentalement contre certains états de fait car je sais qu'un tel comportement ne fait qu'augmenter mes difficultés. J'affirme désormais pleine de joie que Dieu s'exprime à travers moi et qu'il a besoin de moi là où je me trouve, sinon je n'y serais pas. Dieu agit dans ma vie, ce qui pour moi signifie sérénité et harmonie. »

La répétition de cette prière fit des miracles dans la vie de l'enseignante. A force de penser la vie en termes stimulants et propres à la mettre en confiance elle avait fait passer au vert son feu rouge interne. Elle avait maintenant la profonde conviction que toutes les semences spirituelles déversées dans son subconscient donneraient naissance à des espèces conformes à leur nature. L'amour entra dans sa vie sous la forme d'un mariage avec le directeur de la faculté où elle enseignait ! Elle eut également des satisfactions sur le plan professionnel. Depuis lors elle ne cesse de faire des expériences enrichissantes. Elle s'est découvert un don pour la peinture, activité à laquelle elle s'adonne avec une joie profonde. Tout son potentiel intérieur s'est épanoui et elle est comblée. Vraiment, les prières transforment la vie !

Un pharmacien rénove son officine

Le propriétaire d'une pharmacie me confia un jour : « Je suis complètement ruiné ! Comment refaire surface ? Lors d'un cambriolage on m'a dérobé des médicaments d'une valeur de plusieurs milliers de dollars ainsi que de l'argent liquide. Mon assurance ne couvre les pertes que partiellement. En plus, j'ai perdu sur les marchés boursiers une petite fortune. Comment pouvez-vous attendre de moi que j'aie des pensées constructives après de tels revers ? »

« Vous pouvez décider, rétorquai-je, de réfléchir à la question comme bon vous semble. Il n'empêche que vos pertes financières n'ont pas la cause que vous décidez de leur attribuer. Ce n'est pas la vie qui vous porte ce coup dur, c'est la manière avec laquelle vous pensez et vous réagissez. »

Je fis comprendre à ce pharmacien que les cambrioleurs et son déficit en bourse ne le priveraient ni de ses jours ni de ses nuits ni de sa santé, ni du soleil, de la lune et des étoiles qui sont le pain quotidien de la vie spirituelle.

Je continuai en disant : « Vous êtes riche sur le plan spirituel. Vous avez une femme compréhensive qui vous aime et deux fils superbes à l'université. Personne ne peut vous voler vos connaissances en médecine et en pharmacologie, personne ne peut vous déposséder de la finesse de votre jugement sur le plan professionnel, et ça, ce sont les richesses de l'esprit.

« Les voleurs ne vous ont pas dérobé non plus la connaissance que vous avez des pouvoirs de votre subconscient et de l'action possible de la force infinie qui vous innerve. Il est peu sage de se maintenir dans cet esprit négatif. Louez plutôt la beauté des choses ! Il est temps pour vous d'éveiller le don que Dieu vous a fait en vous-même et de progresser dans sa lumière. Alliez-vous à l'omniprésence et à la toute-puissance de Dieu qui multipliera pour vous les richesses de la vie.

« Rendez-vous compte que vous ne gagnerez ou ne perdrez rien si ce n'est sur le plan spirituel. Ne dites pas que vous avez perdu quelque chose, mais identifiez-vous mentalement et sensitivement avec les soixante mille dollars qui vous manquent. Ce que vous décrétez vrai sur le plan mental et que vous ressentez comme vrai au plus profond de vous-même, votre subconscient le réalisera et le fera apparaître de manière perceptible dans votre vie. Telle est la loi de l'action et de la réaction, une loi universelle, cosmique. »

Le pharmacien fit, comme il le dit lui-même, preuve de bonne volonté et se mit à prier tous les jours. Sa prière avait le contenu suivant :

« Je suis constamment sur mes gardes vis-à-vis de la pensée négative. Dès que je suis assailli par des pensées négatives je les bannis de manière énergique. Je crois à la puissance et à la présence infinie de Dieu qui toujours travaille à l'œuvre du bien. Je crois à la bonté et à la providence divine. J'ouvre mon cœur et mon esprit à ce flux d'esprit divin et je ressens un sentiment toujours plus fort de sagesse, de compréhension et d'énergie.

« Par mon esprit et mes sens je me suis identifié à mes soixante mille dollars et je sais que je ne peux rien perdre, sauf si j'accepte cette perte ; ce que je ne ferai pas, j'en suis persuadé. Je sais comment travaille mon subconscient. Il fait fructifier ce que je dépose en lui. C'est pourquoi l'argent me reviendra et tombera sur moi comme une pluie d'or.

« Je sais que ma vie ne sera plus faite de hauts et de bas, mais qu'elle sera dynamique, créatrice, équilibrée et sensée.

Je sais que la prière est la contemplation suprême des vérités divines. Je sais que l'univers mental dans lequel j'ai pris l'habitude de séjourner prédomine désormais et qu'il va déterminer et orienter toutes mes expériences. Ma famille, ma pharmacie et tous mes investissements sont sous la protection de la présence de Dieu qui recouvre toute chose. Ce bouclier divin englobe ma personne. Je suis invulnérable comme par enchantement. Je sais que la vigilance extérieure est le prix de la paix, de l'harmonie, du succès et de la prospérité. Comme mes yeux sont sans arrêt tournés vers Dieu rien de mal ne se trouve sur mon chemin. »

Le pharmacien prit pour habitude de réciter aussi souvent que possible ces vérités valables pour l'éternité et elles devinrent partie intégrante de ses convictions profondes et inébranlables. Au bout de quelques semaines son agent de change l'appela pour lui annoncer joyeusement que grâce à la montée brutale des cours de l'argent il avait compensé la totalité de ses pertes. Le même jour on lui fit une offre très alléchante concernant un terrain qu'il possédait depuis dix ans. Il put le vendre un prix qui frisa les soixante mille dollars bien qu'il n'en eût initialement investi que cinq mille.

Cet homme s'aperçut qu'il n'était pas condamné à souffrir des aléas de l'existence et put mesurer l'action bénéfique de ses convictions affirmées dans la prière.

L'esprit de masse : comment détourner son influence négative

Sous le terme d'« esprit de masse », il faut entendre la mentalité dans laquelle se complaît à demeurer la majorité des quatre milliards d'individus que compte notre planète. La vie mentale de tous ces individus se connecte à une conscience collective et il n'est pas nécessaire d'être grand devin pour imaginer quelles pensées, quels sentiments, quelles convictions et quelles idées superstitieuses se déversent dans cet océan de négativité.

Certes, l'esprit de masse se nourrit aussi des pensées et des sentiments positifs véhiculés par des millions d'êtres humains sur toute la surface de la terre : l'amour, la joie, la confiance, la bonne volonté, l'optimisme, la croyance à la fin de tous les problèmes, le sens de la paix et du partage. Cependant les gens qui font preuve d'un tel état d'esprit et d'une telle sensibilité sont une minorité, le trait dominant de l'esprit de masse étant bel et bien la négativité.

L'esprit de masse est marqué par l'attente de l'accident, de la maladie, de revers en tous genres, de guerres, de crimes et de catastrophes multiples. Cet état d'esprit propage la peur et la peur enfante la défiance et l'hostilité, la colère, la haine et la maladie.

C'est pourquoi toute personne disposée à réfléchir s'apercevra facilement qu'elle reste livrée aux désagréments et au mauvais sort tant qu'elle n'apprend pas à penser positivement et à fortifier son tempérament par la méditation pour se constituer une armure protectrice. Nous sommes tous exposés à l'influence de l'esprit de masse, au sortilège fatal de la pensée négative ; nous sommes sensibles à l'attrait et à la puissance de l'opinion propagée par la majorité. Et tant que, sans équivoque, nous ne pensons pas positivement nous serons soumis aux aléas du destin, nous ferons l'expérience du bonheur et du malheur, de la santé et de la maladie, de la richesse et de la pauvreté. Si nous nous refusons à nous placer du point de vue des vérités et des principes éternels que Dieu nous enseigne nous ne serons jamais que des numéros dans la masse et nous vivrons inévitablement des expériences extrêmes.

Prenez le contrôle de votre esprit de manière absolue en pensant la vie sous un angle constructif. Imaginez des événements beaux, agréables et stimulants. Si vous faites cela vous neutraliserez les effets négatifs de l'esprit de masse qui sans arrêt assaille notre esprit à tous. L'Evangile selon saint Jean

46

ne nous dit-il pas : *Et moi, une fois levé de terre, j'attirerai tous les hommes à moi* (Jean 12,32). En d'autres termes, si vous stimulez votre esprit en vous identifiant aux vérités éternelles qui régissent l'existence telles que la santé, la paix, la joie, l'amour, la perfection et *si cette identification devient une habitude* vous attirerez dans votre vie ces qualités et ces attributs divins en vous soumettant à la loi de l'attraction.

Dans les lignes qui suivent vous trouverez une magnifique prière qui vous permettra de vous élever au-dessus de l'esprit de masse et de vous immuniser contre les convictions fausses et les angoisses épuisantes :

« Dieu *est* et sa présence me traverse. J'ai part à la santé, la paix, la joie, au salut, à la beauté et à l'amour. Dieu pense, parle et agit à travers moi. La providence divine m'accompagne dans toutes mes entreprises. L'esprit de Dieu, son sens de la justice conditionnent mes actions. Ma vie est placée sous le signe d'un droit et d'un ordre divins. Je suis sous la protection de l'amour éternel de Dieu et sa lumière apaisante m'entoure. Si ma pensée s'égare dans la crainte, le doute ou les soucis, je sais que l'esprit de masse pense en moi. Plein d'hardiesse je proclamerai aussitôt : "Mes pensées sont les pensées de Dieu et la puissance de Dieu anime mes bonnes pensées." »

Identifiez-vous à cette prière et méditez son contenu. Vous voguerez alors au-dessus des discordes, des désarrois et des tragédies de la vie. Vous ne serez plus soumis aux aléas de l'existence et vous pourrez jouir d'une vie active, créatrice et enrichissante, une vie pleine d'amour et d'harmonie.

Comment se fondre dans l'infini

Il y a quelques mois une femme m'écrivit de Caroline du Nord pour me dire que le monde « est en pleine décomposition », que l'ordre moral est au plus bas, que la corruption se propage partout, que les actes de violence, les crimes et les scandales occupent les premières pages des journaux. Découragée, elle ajoutait : « Nous pouvons chaque jour disparaître à cause d'une bombe atomique. Comment pouvons-nous, au milieu de toute cette corruption et de toutes ces agressions, dans le cloaque où nous nous trouvons, nous mettre en rapport avec Dieu ? »

Dans ma réponse je lui écrivis qu'elle avait certainement raison pour ce qui concerne un certain nombre de ses constatations, mais qu'il est dit dans la Bible : *Sortez donc du milieu de ces gens-là et tenez-vous à l'écart, dit le Seigneur* (Deuxième Epître aux Corinthiens 6,17). Je lui recommandai d'éveiller en elle la capacité et la force de s'élever au-dessus du monde des impressions négatives et de mener, là où elle se trouvait, une vie heureuse et intense. Pour cela il lui fallait ouvrir les yeux : elle découvrirait alors des milliers de gens heureux et dynamiques, libres et sereins, qui ont une vie constructive et, à maints égards, contribuent à la prospérité de l'humanité.

Nous connaissons les égarements auxquels l'époque victorienne a donné lieu, quels tabous sexuels et quelles censures furent imposés à la population à ce moment-là. Aujourd'hui les gens sont tombés dans l'extrême inverse comme l'illustrent les mœurs débridées et la débauche sexuelle qui font rage. Autrefois il existait des usines dans lesquelles les ouvriers – parfois même des enfants – travaillaient dans des conditions dont la dureté est inconcevable. Ils étaient souspayés, mal logés et mal nourris. Il s'agissait en fait d'une sorte de servage. De nos jours le pendule a oscillé dans l'autre sens en ce qui concerne les Etats-Unis et de nombreux pays industrialisés en Occident. Certains syndicats ne sont plus les représentants de la masse ouvrière, mais les institutions d'un pouvoir tyrannique qui est en mesure de paralyser à tout moment l'économie de villes, voire d'Etats entiers.

Un vieux proverbe hébreu dit : « Le changement éternel est le fondement de toutes choses. » C'est pourquoi il vous faut trouver un point d'ancrage pour pouvoir vous « amarrer » au divin et vous orienter dans la vie. Connectez-vous sur la force infinie qui est en vous-même et laissez-vous guider et dominer dans tout ce que vous faites par cette présence divine. Intronisez la sagesse divine dans votre conscience en déclarant avec conviction que la sagesse de Dieu est un baume pour votre entendement, une lumière qui guide vos pas, une balise sur le chemin de la vie.

A cette femme préoccupée j'écrivis la prière suivante :

« Je comprends que je ne peux pas changer le monde, mais je sais que je peux me changer moi-même. Les visages qui peuplent la terre sont innombrables et je sais que ceux dont la vie est dominée par l'esprit de masse qui engendre l'instinct de peur attirent pour ainsi dire sur eux le chagrin, les accidents, les maladies et le malheur ; ils échoueront toujours tant qu'ils n'auront pas appris à fonder leur vie sur les vérités divines qui guérissent, inspirent, élèvent et stimulent la vie intérieure. J'ai conscience du fait que l'esprit de masse est imprégné de négativité.

« A partir de maintenant je ne lutterai plus contre des situations ou des faits extérieurs. Je cesse de me révolter contre la corruption, la dissipation des mœurs et la violence. J'arrête d'écrire des lettres incendiaires aux politiciens, aux écrivains, aux producteurs de cinéma et aux rédactions des journaux. Je m'efforcerai plutôt d'agir pour le bien, la paix et l'harmonie entre les hommes. Je me fonds dans l'infini. La justice et l'ordre de Dieu dirigent ma vie. Je suis guidée et inspirée par Dieu. L'amour de Dieu inonde mon âme. Des vagues de lumière, d'amour, de vérité et de beauté émanent de ma personne sous la forme de puissantes vibrations spirituelles. Elles sont stimulantes et le ciment de l'harmonie entre les hommes. Il est dit dans les Evangiles : *Et moi, une fois élevé de terre, j'attirerai tous les hommes à moi* (saint Jean 12, 32). »

Récemment la femme m'appela pour me dire : « Votre lettre m'a ouvert les yeux comme jamais auparavant. Je suis "aux anges". Je sais maintenant que personne ne doit changer en dehors de moi-même. Quand j'entre en contact avec l'infini, je sens la présence de Dieu dans le cœur de tous les hommes et de toutes les femmes de la terre ! »

Dans la Bible il est écrit : *Grande paix pour les amants de ta loi, pour eux rien n'est scandale* (Psaume 119, 165). La prière qui transforma la vie de cette femme peut aussi changer votre vie.

RÉSUMÉ

1. Vous pouvez prendre les commandes de vos pensées, des images de votre esprit, de vos sensations et de vos actions de la même manière que vous pilotez votre voiture pour la diriger dans une direction voulue.

2. Vous pouvez orienter votre pensée consciemment vers des désirs, des buts, des aspirations. Vous êtes le maître de vos pensées. C'est pourquoi vous forgez vous-même votre destin.

3. Dans la prière conférez à vos paroles de la conviction et du sentiment. Vos aspirations se réaliseront de manière novatrice.

4. Dans notre vie nous subissons tous des hauts et des bas tant que nous n'assumons pas avec détermination le contrôle de notre existence et que nous ne pensons pas nous-mêmes d'une manière constructive qui plaise à Dieu. Si nous ne faisons pas cela nous sommes assujettis à l'esprit de masse qui se cramponne aux maladies, aux accidents, aux revers de fortune et aux tragédies en tous genres.

5. Beaucoup de gens voyagent à travers le monde, mais dans leur être intérieur ils ne parviennent nulle part. Faites un voyage mental et psychologique à l'intérieur de vous-même ; vous y trouverez, cachés dans les couches profondes de l'esprit, les trésors célestes.

6. Ce dont vous faites l'expérience dans la vie découle de votre pensée consciente et de son produit, le subconscient. Pensez au bien et le bien surgira.

7. Vous pouvez déterminer vous-même ce que vous allez penser de telle personne ou de telle situation. Ce que vous avez perdu ou enduré n'a rien à voir avec la façon dont vous décidez de penser.

8. Vous ne pouvez rien perdre si ce n'est sur le plan spirituel en vous abandonnant à l'idée de la perte. Identifiez-vous mentalement et émotionnellement avec ce qui vous a été soustrait. Votre subconscient réagira et le réintroduira dans votre vie.

9. Par le terme d'« esprit de masse » il faut entendre l'état d'esprit dans lequel est enlisée la majorité des quatre milliards d'individus que compte notre planète. Combinaison de pensées bonnes et mauvaises, cet état d'esprit est pourtant dominé par l'élément négatif qui résulte des angoisses, des doutes, des superstitions, de la jalousie, de la convoitise, de l'hostilité et de la haine.

10. Vous pouvez vous élever de manière triomphante au-dessus de ce flot d'éléments négatifs et mener une vie riche et heureuse si vous glorifiez dans votre esprit toutes les idées qui sont source d'inspiration, de guérison et de stimulation pour la vie intérieure.

11. Entrez en harmonie avec l'infini. Comprenez et soyez profondément convaincu que la présence infinie et la puissance de Dieu dominent et dirigent votre vie. Vous mènerez alors une existence équilibrée et fertile et non pas aléatoire.

12. Vous pouvez vous débarrasser du catastrophisme de l'esprit de masse en louant Dieu en vous-même, en vous apercevant que son amour remplit votre âme et que sa sagesse vous guide.

4

LIBÉRER LA FORCE INFINIE
POUR QUE CHAQUE ÉTAPE DE LA VIE
SOIT UNE CONSÉCRATION

Lors d'une de mes tournées de conférences, je fus amené à me rendre dans les montagnes du Colorado. Pendant le repas qui eut lieu à l'issue de mon intervention, mon hôte s'adressa à moi en disant que la plupart des gens se font des soucis qui dépassent la réalité et que leurs angoisses sont un barrage qui les empêche d'avoir une vie heureuse et productive.

Il me raconta l'histoire d'un vieil homme qui avait vécu dans un chalet des environs. Il faisait pitié à ses voisins car il semblait toujours fatigué, déprimé, soucieux et solitaire. Ses vêtements étaient rapiécés et il conduisait une vieille guimbarde, un modèle datant de 1930. A en juger par son aspect extérieur il n'avait pas d'argent pour vivre et n'avait pas non plus de parents ou d'amis. Il allait occasionnellement à l'épicerie où il quémandait des quignons de pain et achetait les articles les moins chers en payant avec des pièces de monnaie qu'il avait pris l'habitude de réunir péniblement.

Lorsque finalement il ne réapparut plus pendant plusieurs semaines, les voisins se mirent à le chercher et le trouvèrent mort dans sa cabane. Le shérif fouilla les lieux pour découvrir des indices relatifs à sa famille et à son identité et, à la surprise générale, trouva plus de cent mille dollars en liasses de billets de vingt-cinq dollars.

Manifestement, cet homme avait gagné beaucoup d'argent autrefois et en possédait encore assez pour sa retraite. Il ne l'avait pourtant pas utilisé pour mener la belle vie ou venir en aide à qui que ce soit. Il ne l'avait pas non plus investi de manière sensée pour qu'il lui rapporte des intérêts ou des dividendes. Mon hôte me dit que ce vieil homme avait été obsédé par la peur de voir sa fortune connue et volée.

Cet homme est un exemple typique des conséquences de la pensée négative. Bien que suffisamment riche il ne lui était pas permis d'agrémenter sa propre vie et celle des autres. Que de bonheur s'est-il proscrit !

Vous avez une fortune à partager

Votre for intérieur est un tabernacle pour l'Infini. Il renferme de multiples trésors. Vous en avez la clé, c'est votre pensée ! Celle-ci peut vous rendre beaucoup plus riche que ne l'était ce vieil homme rongé par la peur. Elle peut vous apporter une foule de trésors indescriptibles qui font partie de ce à quoi vous aspirez.

Vous avez la clé de la force la plus magique et la plus prodigieuse qui soit, la force de l'infini qui est en vous. La Bible ne nous dit-elle pas : ... *Car voici que le Royaume de Dieu est au milieu de vous* (Evangile selon saint Luc 17, 21).

Méditez cela : la force de Dieu est en vous. L'individu moyen n'utilise pas cette énergie, par ignorance et par son attachement aux vieilles habitudes. Si vous animez ce don divin en votre for intérieur, vous disposerez de richesses inépuisables même si vous les distribuez sans compter.

Vous pouvez dispenser l'amour et l'amitié, rayonner par votre sourire et votre bonne humeur, adresser à vos collaborateurs et à votre personnel des louanges et des compliments. Vous pouvez partager avec les gens de votre entourage des idées nouvelles et un amour qui plaît à Dieu.

Vous pouvez voir vivre dans vos enfants la sagesse divine et faire appel à elle en toute conscience et de tout votre cœur. Ce que vous affirmez et tenez pour vrai sera mis en éveil dans la vie de vos enfants. Vous pouvez avoir une idée qui est source d'innovation et qui vaut une fortune. Vous la transmettrez au monde extérieur pour la partager avec lui. Peut-être s'agira-t-il d'une invention, d'une composition musicale, d'un spectacle, d'un livre ou d'une quelconque nouveauté dans vos affaires ou votre métier qui sera facteur de bien-être pour les autres et pour vous-même.

Pensez que vous disposez simplement des possibilités que vous vous créez vous-même. Mais ces possibilités vont vous suivre tout au long de votre vie ! Commencez dès maintenant à entamer les gisements inépuisables déposés en vous-même et vous constaterez que vous entrerez dans une phase de prospérité qui deviendra évidente au fur et à mesure qu'elle vous rapprochera de Dieu.

Comment vous élancer
vers la réalisation de vos aspirations

Il y a quelques années, durant un séminaire à Los Angeles, notre organiste Vera Radcliffe nous raconta l'histoire saisissante du pianiste virtuose Ignac Paderewski qui, sur le chemin du succès international, dut endurer de multiples épreuves. Des compositeurs de renom et l'élite musicale de l'époque lui avaient laissé entendre qu'il n'avait aucun avenir comme pianiste et qu'il devait chasser de son esprit ses ambitions professionnelles. Les professeurs du conservatoire de Varsovie dont il suivait les cours firent tout leur possible pour le détourner d'un but qu'il ne pouvait atteindre selon eux. Ils affirmaient que la forme de ses doigts était inadéquate et lui recommandaient donc de tenter sa chance comme compositeur.

Paderewski ne tint pas compte de ces commentaires destructeurs, mais fit corps avec ses forces intérieures. Il sentait, grâce à sa sensibilité intérieure, qu'il possédait un trésor susceptible d'être partagé avec le reste du monde : cette divine musique des sphères qui était en lui et la musique qu'il extrayait de son piano.

Il travailla des journées entières, plein de ferveur et d'enthousiasme. Souvent, lors de ses concerts, la douleur le tenaillait et il arrivait, comme nous le rapporta Madame Radcliffe, que du sang suinte de ses mains blessées. Pourtant il ne céda pas. *Il savait que la clé de son triomphe résidait dans le contact établi avec la force divine localisée à l'intérieur de lui-même.* Son obstination fut payante.

Au fil du temps, le génie musical de Paderewski fut reconnu à l'échelle internationale. Partout le public saluait cet homme qui avait senti et réalisé son unité avec le grand musicien intérieur, avec l'architecte de l'univers.

Vous aussi, comme Paderewski, vous avez la force de neutraliser les suggestions négatives de prétendues autorités qui vous affirment que vous ne pouvez pas devenir ce que vous souhaitez être.

Comme Paderewski, prenez conscience du fait que la présence divine qui vous a transmis votre désir et vous a conféré du talent abattra aussi les cloisons et vous révélera le schéma le plus approprié pour parvenir à la satisfaction de ce désir.

Fiez-vous à la puissance divine qui vous habite. Vous constaterez qu'elle est à même de vous guérir, que c'est une muse inspiratrice qui vous guidera sur le chemin du bonheur et de la sérénité, vers la réalisation de vos idéaux.

Comment abolir l'injustice

Lors de mon dernier séjour dans les îles Hawaï un jeune cadre s'adressa à moi en s'exclamant : « Il n'y a pas de justice en ce bas monde. Tout est inique. Les entreprises économiques sont sans âme, elles sont dénuées de sensibilité. Je travaille dur et je reste souvent à la société après la fermeture des bureaux. Mais ce sont ceux qui occupent des postes inférieurs au mien qui ont droit à de l'avancement. Je me fais avoir. C'est tout simplement injuste. »

Mes explications guérirent cet homme de ses pensées amères. Je reconnus qu'il y avait des injustices à travers le monde et que, comme le disait Robert Burns, « l'inhumanité de l'homme à l'égard de l'homme est la source d'innombrables maux ». Cependant je lui indiquai que les pouvoirs du subconscient agissent indépendamment de la personne et sont extrêmement justes.

Votre subconscient absorbe ce que votre pensée, qui fonctionne comme une mécanique répétitive, lui insuffle et il réagit en conséquence. La manière dont vous hissez les voiles de votre navire – et non le vent ! – détermine votre destination. Vos pensées et vos émotions, en d'autres termes votre état d'esprit, décident du succès et de la victoire ou provoquent l'échec et la déroute. Le subconscient réagit avec une justesse absolue et selon une logique d'une précision mathématique. Vos expériences sont la concrétisation fidèle d'une activité mentale et spirituelle façonnée par l'habitude.

Je commentai au jeune homme la parabole célèbre des ouvriers envoyés à la vigne qui tous reçurent un denier comme salaire de la journée, qu'ils eussent travaillé la journée entière ou simplement à partir de la troisième, de la sixième, de la neuvième ou seulement de la onzième heure. Lorsque certains virent que ceux qui n'avaient travaillé qu'une seule heure recevaient le même salaire qu'eux, ils devinrent jaloux et se mirent en colère. Cependant, ils obtinrent pour toute réponse à leurs grognements : *Je ne te lèse en rien, n'est-ce pas d'un denier que nous sommes convenus ?* (saint Matthieu 20, 13).

Ce que nous devons faire est indiqué dans Matthieu 18, 19 de manière explicite : *Si deux d'entre vous unissent leurs voix pour demander quoi que ce soit, cela leur sera accordé par mon Père qui est aux cieux.*

Après ce commentaire j'ajoutai : « Vous êtes très critique et plein de ressentiment à l'égard de l'entreprise qui vous emploie. Ces suggestions négatives s'insinuent dans votre subconscient et sont responsables du fait que vous n'ayez ni promotion ni augmentation de salaire ni reconnaissance de la part de vos supérieurs. »

Pour conclure je lui prescrivis la formule suivante qu'il devait appliquer tous les soirs :

« Je sais que les lois universelles de l'esprit sont justes et que tout ce dont j'alimente mon subconscient se manifestera de manière quasiment mathématique dans mon environnement et mes conditions de vie. Je sais que j'applique un principe spirituel et un principe est absolument impersonnel. Au regard de ce principe je suis l'égal de tous mes semblables. Il m'arrive donc ce à quoi je crois. Je sais que la justice est synonyme de loyauté, d'impartialité et d'équité.

« Je reconnais que j'ai été guidé par la rancune et la jalousie, que je me suis sous-estimé et mal jugé. Je me suis persécuté, torturé et agressé moralement. Je connais maintenant la loi des correspondances entre l'intérieur et l'extérieur. Mon patron et mes collaborateurs ont simplement confirmé de manière objective ce que j'ai pensé et ressenti subjectivement.

« Ce que j'accepte sans restriction dans mon esprit me sera accordé dans ma vie indépendamment de toutes les circonstances apparemment défavorables et contrariantes qui peuvent s'y manifester. Je m'adresse les vœux les plus vifs de succès et de bien-être et je souhaite à mes collègues de bénéficier d'un avancement. Il émane de ma personne de la cordialité et de la bienveillance. J'aurai droit à une promotion, j'aurai droit à la réussite et à la fortune. Le sens de la justice guide mes pas. Tandis que j'affirme ces vérités avec conviction je réalise qu'elles se déposent dans mon subconscient et que des miracles se produiront dans ma vie.

« J'imagine ma femme en train de me féliciter pour ce changement d'échelon magistral. Je ressens sur le plan mental et émotionnel la réalité de ce que j'imagine. Mes yeux sont fermés, je somnole, je me trouve dans une situation de passivité, dans un état psychologique qui favorise la réceptivité. Mais j'entends les félicitations de ma femme, je la sens m'embrasser et je vois son geste. Je suis heureux et je m'endors dans cette atmosphère, conscient que Dieu m'exaucera car *Il comble son bien-aimé qui dort* (Psaume 127, 2). »

Cet homme s'imprégna quotidiennement du contenu de cette prière. C'est de cette manière qu'il privilégia dans sa conscience les pensées et les émotions voulues et son subconscient réagit au diapason. Les lois universelles de l'esprit sont exactement aujourd'hui ce qu'elles étaient hier et seront demain.

Quelques mois plus tard cet homme encore jeune fut nommé directeur de sa société. Il ne pouvait rêver promotion plus rapide et plus conséquente.

Une femme partage ses biens avec les autres et s'enrichit

Il y a quelque temps j'eus plusieurs discussions intéressantes avec une Canadienne pour qui l'argent est chose aussi évidente que l'air qu'elle respire. Elle se sent libre comme le vent. Sans être vraiment pauvres, ses parents n'étaient pas très argentés. Pourtant elle se sentait toujours riche et heureuse et se le répétait : « Je suis riche, je suis heureuse ; Dieu me donne toute chose en abondance et je m'en trouve bien. » Telle était sa prière quotidienne.

Elle devint millionnaire en dollars. Avec son argent elle participa à la fondation et à l'entretien de départements universitaires, créa des bourses pour les étudiantes et les étudiants doués, érigea dans des régions excentrées des hôpitaux et des écoles d'infirmières. Elle aime distribuer l'argent de manière intelligente et constructive et, bien qu'elle en dépense autant, sa fortune ne cesse de croître.

Elle me dit un jour : « Vous connaissez ce vieil adage selon lequel les riches deviennent toujours plus riches et les pauvres toujours plus pauvres. Il est malheureusement vrai. Ceux qui vivent en conscience dans la plénitude et l'abondance récoltent les richesses en fonction de la loi cosmique qui est comparable à un magnétisme. En revanche, celui qui vit dans l'attente de la pauvreté, des privations et des manques de toutes sortes s'attire mentalement et affectivement toujours plus de restrictions et de misère. »

Il n'y a aucun doute. Nombreux sont ceux qui, vivant dans des conditions difficiles, envient la fortune de leurs voisins et sont hostiles à leur égard. Un tel état d'esprit ne conduit cependant qu'à plus de pauvreté et de soucis matériels. Ces personnes retiennent à leur propre insu ce qu'elles ont de bon en elles alors qu'elles pourraient être riches elles aussi et partager cette richesse avec d'autres si elles s'ouvraient spirituellement à cette vérité essentielle qui leur donnerait la clé du trésor qu'elles possèdent en elles-mêmes.

Sa fortune était à portée de main, mais il ne la voyait pas

Le cas dont je fais état maintenant doit vous démontrer que chacun peut acquérir une fortune et la partager avec d'autres.

Il y a longtemps un de mes amis, qui déménagea dans le nord de l'Alaska, m'écrivit que la vie était insupportable. Il croyait avoir commis une erreur tragique en décidant de tenter sa chance dans ce pays. Son mariage était en train de sombrer. Le coût de la vie en Alaska était, selon lui, horriblement cher. Il avait l'impression qu'il n'y régnait que la tromperie et la rapine. Lorsqu'il fut convoqué au tribunal pour son divorce, il eut à affronter un juge déloyal qui ne lui fit pas de cadeaux. Il terminait sa lettre en affirmant que la justice n'est pas de ce monde.

Je ne dirai pas le contraire. Il suffit d'ouvrir le journal pour se repaître d'articles consacrés à des meurtres, des cambriolages, des attaques à main armée, des viols, des détournements d'argent, des corruptions de magistrats ou de fonctionnaires... Mais il faut toujours se souvenir que toutes ces choses sont l'œuvre d'êtres humains et que le seigneur a dit : *Sortez du milieu de ces gens-là et tenez-vous à l'écart* (Deuxième Epître aux Corinthiens 6, 17).

Vous pouvez vous arracher à la cruauté et à la cupidité fomentées par l'esprit de masse en canalisant votre énergie mentale et psychique vers le principe de justice absolue que vous portez en vous et qui vous guidera dans vos actions. Dieu est justice absolue, harmonie absolue, amour et joie infinie, beauté indescriptible, sagesse parfaite et toute-puissance. Si vous réfléchissez à ces attributs divins et si vous contemplez les vérités de Dieu par la méditation, vous viendrez à bout de l'injustice et de la cruauté du monde, vous aurez une solidité inébranlable face aux représentations négatives et à toutes les opinions fausses.

En d'autres termes : vous vous procurerez une immunité divine, une sorte d'anticorps spirituel contre l'esprit de masse.

C'est avec cette explication que je commençai ma réponse au courrier de mon ami. Je lui recommandai de rester à sa place car j'avais l'impression qu'il voulait se soustraire à ses obligations et cherchait une issue de secours. Je lui écrivis donc la prière suivante :

« Dieu se trouve là où je suis. Dieu qui m'habite a besoin de moi à l'endroit où je suis. La présence de Dieu en moi est infiniment étendue et omnisciente. Elle me révélera la marche à suivre et me fera découvrir les trésors de la vie. Je remercie Dieu de m'envoyer sa réponse sous la forme d'un sentiment intuitif ou d'une idée qui parviendra spontanément au seuil de ma conscience. »

Mon ami suivit le conseil. Il resta en Alaska, se réconcilia avec sa femme, prit en photo les paysages de l'Alaska et du nord du Canada, écrivit des histoires pour des magazines et la télévision. Il ne tarda pas à se faire une petite fortune. Un an plus tard il m'envoya deux mille dollars comme cadeau de Noël et me proposa cet argent pour passer des vacances en Europe. Ce que je fis d'ailleurs.

Cet homme a ouvert la chambre au trésor qui était en lui et découvert le bonheur. Il a démontré sur lui-même que chacun de nous a des ressources à portée de main.

Un universitaire découvre le pactole

Il y a peu je parlais avec un professeur de l'enseignement supérieur qui était très irrité par le fait que son frère, un chauffeur-routier, gagne deux fois plus d'argent que lui. Il remarquait plein d'amertume : « C'est complètement injuste, il faut changer le système. J'ai travaillé dur pendant six ans ; j'ai bûché pour décrocher mon doctorat tandis que mon frère n'a même pas fait d'études supérieures ! »

Dans son domaine ce professeur était quelqu'un de remarquable, mais, pour ce qui est des mécanismes de l'esprit, il était totalement inculte. Je répondis à ses lamentations en disant que de telles disparités sont visibles partout et que, par exemple, une simple serveuse dans mon restaurant préféré gagne plus de trois cents dollars par semaine avec les pourboires. Puis je lui fis comprendre qu'il était prisonnier de l'esprit de masse et de ses implications.

Ce professeur réalisa rapidement que l'on doit et que l'on peut se libérer de l'esprit de masse. Sur mes conseils il appliqua la « recette du miroir ». Il se plaça donc chaque matin devant sa glace en proclamant : « Je suis riche, j'ai de la réussite et je vais monter en grade. » Chaque matin, il renouvelait cette affirmation pendant environ cinq minutes, persuadé qu'elle s'imprimerait dans son subconscient.

Il sentait chaque jour avec plus de netteté ce qui arriverait si le produit de son imagination se réalisait. Au bout d'un mois, une autre université lui fit une offre qui comportait un salaire annuel supérieur de cinq mille dollars à celui dont il disposait jusqu'alors. Tout à coup il éprouva le besoin d'écrire, son manuscrit fut publié par un éditeur de renom et le livre lui rapporte sans doute de confortables droits d'auteur.

Il avait compris qu'il n'était pas victime du « système » ou du plan de carrière d'une université. En mettant à jour les forces secrètes de son être intérieur, il accéda à la fortune qui lui était réservée.

Une secrétaire sauvée par la foi

La secrétaire d'un avocat me dit un jour d'un ton plaintif : « Je n'ai aucune chance. Mon employeur et mes collègues de bureau sont mesquins et horribles avec moi. Ma vie durant j'ai été maltraitée par mes proches. Je suis poursuivie par la malchance. Je ne suis bonne à rien. »

Je fis valoir à cette jeune femme qu'elle se faisait souffrir mentalement et que cette torture morale, cet apitoiement sur soi-même trouvaient leur prolongement sur un plan extérieur. Autrement dit, le comportement des gens de son entourage correspondait purement et simplement à son état psychologique ; il en était la confirmation.

La secrétaire prit conscience du caractère erroné de ses convictions et saisit le sens des paroles de saint Jacques : *Ainsi en est-il de la foi : si elle n'a pas les œuvres, elle est tout à fait morte* (Epître de saint Jacques 2, 17).

Qu'est-ce que la foi ? *Or la foi est... la preuve des réalités qu'on ne voit pas* (Epître aux Hébreux 11, 1). La foi est, du fait qu'on ne la voit pas, une image que l'on projette mentalement et qui, le moment voulu, prendra forme et sera visible dans la vie. Cette image mentale à laquelle on se lie apparaît nécessairement dans la vie.

Au lieu de se punir elle-même la secrétaire visait désormais le bien. Elle imagina son employeur la féliciter pour ses résultats remarquables et lui annoncer l'octroi d'une prime. Il se dégageait d'elle-même un sentiment d'amour et de sympathie auquel étaient sensibles son patron et ses collègues.

Après s'être livrée à cette évocation mentale sous la férule de son œil intérieur plusieurs fois par jour durant quelques semaines, elle vécut une expérience inouïe : non seulement son patron la félicita pour la qualité de son travail, mais en plus il lui fit une demande en mariage ! Dans quelques heures ce chapitre sera clos car j'aurai l'immense joie de célébrer leur union.

Cette jeune femme a trouvé la clé de la chambre au trésor qui est en elle. Sa foi était effectivement *la preuve des réalités qu'on ne voit pas*.

RÉSUMÉ

1. La félicité commence en vous-même. Vos pensées et votre sensibilité déterminent votre destin. La force infinie de Dieu est cadenassée dans votre subconscient et vous possédez la clé de cette chambre au trésor : votre activité mentale.

2. Vous pouvez puiser dans votre subconscient des idées très précieuses. Sollicitez la sagesse infinie qui vous habite et demandez-lui de vous insuffler des idées créatrices de vie, elle vous exaucera. *Demandez et vous serez entendu.*

3. Avec de l'obstination et de l'acharnement vous pouvez atteindre vos ambitions professionnelles ou votre idéal de vie. Dirigez votre regard vers le haut ! Fiez-vous à la puissance de Dieu qui siège en vous et est infaillible.

4. Ce n'est pas le vent, mais la manière dont vous hissez les voiles qui détermine la direction dans laquelle s'engage votre barque. Vos pensées, votre imaginaire, vos sentiments les plus viscéraux conditionnent votre avenir. Ceci est la justice des lois universelles de l'esprit. Oubliez l'injustice et les abus qui caractérisent l'univers de l'esprit de masse.

5. Si vous êtes prêts à travailler pour « un denier par jour » la vie vous rétribuera en conséquence.

6. Ce que vous imprimez dans votre subconscient, en bien ou en mal, surgira dans votre existence sous une forme ou une fonction quelconque, sous les traits d'une expérience ou d'un événement.

7. Comprenez bien que Dieu vous a donné et vous donne de toutes choses en abondance pour que vous puissiez les goûter. Sollicitez ces dons et des trésors se déverseront dans votre vie. Plus vous donnerez et plus vous recevrez en partage.

8. Une fortune vous attend à l'emplacement même où vous êtes. Vous pouvez surmonter toute la misère et toutes les restrictions du monde en vous identifiant sur le plan mental et sensoriel à toutes les choses positives auxquelles vous aspirez. Votre subconscient réagira en fonction de vos désirs.

9. Si vous voulez gagner plus d'argent et vivre dans l'opulence vous devez cesser de vous comparer aux autres et leur envier leur fortune ou leurs succès.

10. Ayez une confiance inébranlable dans les possibilités de votre psychisme : les images que vous projetez dans votre esprit prendront tôt ou tard une forme concrète.

5

LES PHÉNOMÈNES PARAPSYCHIQUES
ET LA VOIX DE L'INTUITION

L'un des dons les plus stupéfiants de l'homme est la voyance, cette capacité de prévoir un événement futur avant qu'il ne se manifeste sur un plan matériel. La parapsychologie appelle précognition ce phénomène de perception extra-sensible. J'ai moi-même eu à plusieurs reprises la prémonition d'événements qui ne se sont produits que des jours, des semaines, voire des mois plus tard.

En janvier 1967 par exemple un ami prêtre me rendit visite. Il me proposa d'organiser conjointement avec lui une tournée de conférences en Terre Sainte pour le mois de mai de cette année-là. Je lui promis de réfléchir à la question et de le tenir au courant.

Le soir dans mon lit je récitai la prière suivante : « La sagesse infinie qui est en moi est omnisciente et me communiquera la décision la plus juste : devons-nous aller en Israël, en Jordanie, etc. ? »

Durant la nuit j'eus un rêve rempli d'images. Je vis des titres de journaux comportant le mot guerre, je vis une bataille de chars et des combats aériens entre les Israéliens et les Arabes. Il s'agissait sans nul doute d'une vision prémonitoire en rapport avec le conflit qui se déchaîna cinq mois plus tard. Le lendemain matin j'appelai mon ami au téléphone pour lui raconter mon rêve. Aussi étrange que cela puisse paraître il eut un rêve tout à fait identique ! Lui aussi avait prié pour être guidé par la divine providence.

A la suite de quoi nous abandonnâmes notre projet de voyage. Les événements qui suivirent – la guerre israélo-arabe – prouvèrent la véracité de notre vision. En outre on n'était pas habitué à cette époque (1967) à une situation de conflit au Proche-Orient comme c'est le cas aujourd'hui.

Votre avenir est déjà inscrit dans votre esprit

L'esprit de chaque être humain est un foyer d'expériences, d'opinions, de convictions, d'impressions et de représentations, bonnes et mauvaises. Conformément aux lois cosmiques de l'esprit, tout ce que nous acceptons et croyons sur le plan mental et affectif, bref tout ce que nous tenons pour vrai, se concrétise dans notre vie.

S'il nous était possible de photographier le contenu du subconscient de nos amis nous pourrions prédire leur avenir et déterminer un à un les événements qui se produiront dans la vie de chacun d'entre eux. Mais ce n'est pas possible. Cependant le professeur J.B. Rhine de l'université de Durham, l'un des pionniers de la parapsychologie, a exploré le champ de la perception extra-sensorielle qui couvre la télépathie et la voyance, mais aussi les mécanismes d'appréhension du futur (précognition, prémonition, divination) ou du passé (rétrocognition) et a démontré l'existence de ces phénomènes lors de multiples expériences de laboratoire attestées scientifiquement.

Un individu de type sensitif pourvu d'une intuition solide ou un médium ont la faculté de déceler la teneur de votre subconscient et d'anticiper les expériences et les événements, bons ou mauvais, qui vous attendent dans votre vie ultérieure. La raison de cette anticipation est simple : tout ce que vous vivez est d'abord préparé et pour ainsi dire à l'état préfabriqué dans votre esprit, comme chez un architecte qui conçoit d'abord mentalement les plans du nouveau bâtiment à édifier.

La perception extra-sensorielle est favorisée par un état d'esprit détendu, réceptif et introspectif. C'est dans cet état que les individus sensitifs sont le plus à même de se brancher sur le subconscient d'une autre personne et d'en dévoiler le contenu. En d'autres termes ils peuvent se mettre à l'écoute des croyances, des peurs, des complexes, des projets ou des désirs de leur vis-à-vis et en tirer des conclusions plus ou moins justes sur sa santé, ses affaires ou sa vie sentimentale. N'oubliez pas toutefois qu'un médium filtre et colore tout ce qu'il perçoit à travers le prisme de sa propre conscience. C'est pourquoi les résultats sont souvent très différents. Fiez-vous plutôt à votre propre perception intérieure et à vos propres intuitions.

Un rêve prémonitoire
le préserve d'une débâcle financière

Un agent immobilier de renom qui est un ami me raconta que chaque soir depuis toujours il méditait le psaume 91 avant d'aller se coucher et priait Dieu de le guider, de le protéger et de le conseiller dans toutes ses initiatives. Au début de l'année 1966 il fit un rêve très concret : il voyait les manchettes d'un journal local qui annonçaient une chute des cours. Il éprouva aussitôt le besoin impérieux et presque incontrôlable de vendre ses valeurs, un placement pourtant extrêmement sûr dans lequel il avait investi quatre cent mille dollars. Il avait l'impression qu'une voix intérieure lui intimait l'ordre de vendre.

Il céda à cette impulsion et vendit les valeurs le lendemain à la clôture du marché. Un jour plus tard eut lieu une vertigineuse chute des cours. Les actions vendues ne retrouvèrent jamais leur ancienne cote, certaines restèrent même bloquées à vingt ou trente points sous leur valeur habituelle. Mon ami s'était préservé d'une déroute financière. Depuis lors il a racheté certains de ces titres à un cours nettement plus bas et s'est reconstitué une petite fortune.

Il commenta son expérience de la manière suivante : « J'ai sauvé une fortune tout en en constituant une deuxième. » Il avait vu l'événement avant qu'il ne se produît en écoutant la voix de son intuition. L'intuition est une sorte de « maître à penser » à l'intérieur de nous-mêmes.

Un fils sauvé par le pressentiment de sa mère

Pendant la guerre du Viêt-nam une femme dont le fils servait comme pilote dans l'armée de l'air et qui était très éprouvée me demanda conseil. Elle était nerveusement au bout du rouleau car depuis plus d'une semaine elle faisait sans arrêt le même rêve qui était la cause de son désespoir. Elle rêvait que l'avion de son fils était en flammes, qu'il l'appelait au secours et demandait de l'aide, puis il sombrait dans la mer avec son engin. Elle était convaincue que son fils s'était noyé.

Chaque matin elle se réveillait tourmentée par ce cauchemar et pendant la journée elle était tenaillée par l'angoisse et les mauvais pressentiments.

Je tentai de montrer à cette mère désespérée que ce rêve était sans aucun doute l'annonce d'un péril imminent et, du fait qu'elle était inconsciemment en contact avec son fils, qu'elle avait perçu sa peur inconsciente du danger. Comme elle n'avait pas reçu d'avis officiel, la menace ne s'était de toute évidence pas encore réalisée. En outre son fils revenait dans son rêve nuit après nuit, ce qui était plutôt un signe avant-coureur des prochains événements. Je lui recommandai de prier pour parer au malheur. Elle devait faire naître en elle l'image la plus haute, la plus sublime de Dieu et de son amour.

Elle se représenta aussi souvent que possible la sagesse infinie de Dieu, sa toute-puissance et son amour, la perfection de son harmonie, sa félicité. En fait elle plaçait son fils sous la protection bienveillante du Seigneur, convaincue désormais que le Tout-Puissant veillerait sur lui. Elle imaginait son fils en train de rentrer à la maison, heureux et libre ; elle sentait sa joie, son étreinte.

Elle se cramponna à sa conviction avec obstination et le cauchemar finit par disparaître. Le sentiment de peur qu'elle éprouvait pour son fils s'était métamorphosé en confiance fervente. Elle était sûre qu'il était indemne et sauvé grâce à la protection divine.

Quelques semaines plus tard, alors qu'elle préparait le déjeuner, la porte s'ouvrit, son fils entra et la serra dans ses bras. Il était rentré du Viêt-nam et avait voulu lui faire une surprise. « Mère, dit-il, je ne sais pas par quel miracle je suis encore en vie ! Mon avion a été abattu, mais n'a pas pris feu. Quelque chose de fantastique était en train de se passer : je savais que l'appareil allait s'écraser, mais je n'avais pas peur. J'ai entendu ta voix me dire très clairement : "Dieu veille sur toi" et j'ai senti qu'aucun danger ne me menaçait. »

La Bible nous dit : *Il a pour toi donné ordre à ses anges de te garder en toutes tes voies* (Psaume 91, 11).

Une chose est certaine quand on relit cette histoire : la mère était en communication télépathique avec son fils. Dans l'esprit les notions de temps et d'espace n'existent pas. Elle avait, par la prière, libéré son âme de la peur en plaçant son fils sous la sauvegarde et l'amour de Dieu. Cette foi et cette confiance avaient été transmises au fils et il avait éprouvé le bonheur que suscite une prière exaucée.

Un père prie en rêve et sauve son fils

Le correspondant new-yorkais d'un grand journal m'adressa la lettre suivante :

« Cher Monsieur Murphy, j'ai du mal à vous dire à quel point je vous suis reconnaissant. La lecture de votre livre sur les lois de la pensée m'a profondément marqué. J'ai étudié en détail chaque chapitre et j'ai appris la méditation. Pour moi ce fut une révélation !

« L'un de mes fils faisait des transports routiers entre New York et Chicago. Il y a quelques semaines, une nuit, je vis en rêve son semi-remorque en train de gravir une montagne. Mon fils donnait l'impression de dormir. A sa droite se trouvait une paroi rocheuse et à gauche un précipice. Tout à coup le camion s'écrasa sur la paroi et se renversa. Je dis dans mon rêve : "Dieu veille sur lui, Dieu le protège, Dieu l'aime."

« Puis je m'éveillai, tremblant de tous mes membres. J'ouvris la Bible et lus à haute voix le psaume 91, le psaume du salut suprême. Pendant environ une demi-heure je priai pour mon fils. Je commençai en disant : "Il est sous la protection du Seigneur... Il reste dans l'ombre du Tout-Puissant, etc." Petit à petit je fus envahi par un sentiment de paix.

« Dans le courant de la semaine qui suivit mon fils vint me voir et me raconta qu'il s'était endormi au volant et que son poids lourd s'était retourné. Il s'était retrouvé entre les roues du véhicule, mais s'en était sorti sans une égratignure, comme par miracle. Je lui fis part de mon rêve et de la prière que j'avais faite. Il me remercia : "Ta prière m'a sauvé la vie !" Depuis lors il prie lui aussi. »

Effectivement, la prière a une action sur la réalité ; ceci est confirmé par de nombreuses expériences. La prière pour moi consiste à contempler du plus haut qu'il nous soit permis les vérités divines et à les méditer. Par le biais d'une pensée constructive en conformité avec les principes universels vous avez la faculté de chasser de votre esprit tous les éléments négatifs qui l'encombrent et de mener une vie qu'un enchantement protège de toute menace. Autrement dit, si vous vous identifiez aux fondements divins vous pourrez neutraliser et étouffer tout ce qui ne relève pas des attributs de Dieu. Vous serez à l'abri des expériences traumatisantes, parcouru par le flux merveilleux de l'harmonie et de l'amour. Vous entrerez en contact avec la réalité du divin comme ce fut le cas avec ce père priant pour son fils dans cette histoire.

Son problème se résoud en une nuit

Un médecin de mes amis qui était en train d'écrire un livre avait besoin d'informations concernant la médecine babylonienne. Il supposait que ces données se trouvaient dans un musée de New York, mais, résidant à Los Angeles, il lui était impossible de s'y rendre.

Je lui recommandai de faire le vide chaque soir avant de s'endormir, de se détendre et de prier avec ferveur : « La sagesse infinie qui est en moi connaît la réponse et me fournira les renseignements dont j'ai besoin pour mon livre. »

Il s'endormit en prononçant le mot « réponse ». La nuit même il reçut l'indication d'une certaine librairie achalandée en livres anciens. Il y alla le lendemain, parcourut les rayonnages et le premier livre qui lui tomba entre les mains contenait les renseignements souhaités.

La voix intérieure sauve des vies

Pendant la guerre du Viêt-nam j'eus l'occasion, lors d'un banquet, de bavarder avec un jeune officier qui se trouvait à côté de moi et qui rentrait de là-bas. Il me fit le récit d'une expérience fascinante.

Il avait reçu l'ordre d'aller en Jeep au quartier général pour transmettre un renseignement. Il était accompagné d'un sous-officier. Tandis qu'il roulait à vive allure il entendit tout à coup et très distinctement la voix de sa mère : « Arrête, John ! Arrête ! » Il freina et stoppa. Son compagnon lui demanda pourquoi il s'arrêtait et ce qui se passait. Il lui répondit : « Tu n'as pas entendu une voix crier "Arrête, arrête" ? » Son passager n'avait rien entendu.

Ils descendirent, examinèrent la Jeep et constatèrent qu'une roue était dévissée. S'ils avaient continué à rouler pendant quelques mètres ils auraient certainement perdu la roue et seraient tombés dans le précipice qui longeait la route.

La mère de l'officier habitait San Francisco. Elle priait le soir, le matin et plusieurs fois dans la journée depuis qu'il était engagé sur le front : « Que l'amour de Dieu et sa cuirasse d'airain protège mon garçon. »

Pour l'officier il était clair, à la suite de notre conversation, que la voix qui lui était parvenue du « néant » avait été un avertissement de son propre subconscient, lequel avait sans doute essayé de le protéger après avoir été sensibilisé par les prières de la mère.

Dans un contexte de péril grave il se peut que résonne en vous la voix d'une personne à qui vous obéissez parce que vous l'aimez et vous lui faites confiance. Votre subconscient s'adressera à vous par l'intermédiaire d'une seule voix que votre conscience entendra immédiatement. En conséquence il ne choisira jamais la voix d'une personne dont vous vous méfiez et que vous n'aimez pas.

La prière, gardienne du destin

Il peut arriver que vous fassiez un rêve qui vous mette en alerte et vous donne fortement l'intuition qu'un danger pèse sur votre personne ou celle d'un être aimé. Ne rejetez pas ce rêve en n'y voyant que le produit de votre imagination ou une hallucination quelconque.

Après un tel avertissement priez de la manière suivante et, si vous priez pour quelqu'un d'autre, prononcez son nom :

« Je reconnais que Dieu seul est présence et puissance et je sais que la présence de Dieu n'est rien d'autre qu'amour, bonté, paix, perfection et harmonie. La paix intérieure de Dieu me traverse désormais. Je vois son ordre parfait qui *est* et a toujours été. Je suis sous la protection de Dieu et il me voit sain et indemne. Son bouclier d'airain m'enveloppe et me protège. Je sens aussi la présence de Dieu à l'intérieur de moi-même. »

Formulez avec force les vérités contenues dans cette prière, soyez persévérant dans votre dévotion. La brume se dissipera et vous serez soulagé du poids qui vous oppressait. Scellez avec votre conscience votre union avec la présence divine qui est en vous ; vous serez alors pleinement en sécurité.

Tout ce que vous demanderez dans une prière pleine de foi, vous l'obtiendrez (Matthieu 21, 22).

RÉSUMÉ

1. L'une des qualités enfouies de votre esprit est la faculté d'entrevoir des événements futurs en rêve ou lors d'une vision nocturne.

2. Vous pouvez toujours solliciter l'assistance de la providence divine par le biais de votre subconscient si vous voulez entreprendre quelque chose qui vous tient particulièrement à cœur.

3. L'avenir est déjà inscrit dans votre esprit et pour ainsi dire préprogrammé parce que toutes les convictions, toutes les opinions et impressions stratifiées dans votre subconscient auront leur écho dans votre vie courante.

4. Le docteur Rhine de l'université de Durham a prouvé dans le cadre d'expériences menées scientifiquement l'authenticité des différents phénomènes liés à la perception extra-lucide tels que la télépathie, la voyance, la précognition (connaissance de l'avenir), la rétrocognition (connaissance du passé).

5. Une nature intuitive peut décoder le contenu de votre subconscient et de votre conscience, entrer en résonance avec celui-ci et en déduire des prédictions.

6. Il est possible que vous obteniez de plusieurs personnes réceptives des interprétations différentes car l'information perçue est filtrée par chacune de leurs consciences et transcrite dans la langue qui leur est propre.

7. Votre intuition pourra largement se développer si vous affirmez régulièrement avec foi que l'infinie sagesse de Dieu vous surplombe dans toutes vos démarches.

8. Si vous rêvez que l'un de vos proches se trouve en danger vous devez absolument prier pour lui. Ce faisant, laissez-vous guider par la conviction que là où se trouve votre parent Dieu se trouve aussi, que son amour, sa lumière, sa puissance le protègent et veillent sur lui. En priant vous pouvez éviter des tragédies.

9. La télépathie vous relie aux êtres qui vous sont le plus chers et vous pouvez, par vos prières, les guérir, les bénir, les protéger.

10. Si un rêve vous fait pressentir la présence d'un danger lisez aussi longtemps que nécessaire les vérités fondamentales contenues dans le psaume 91 en citant le nom de la personne menacée. Faites-le jusqu'au moment où vous retrouverez un état de paix intérieure comparable à un repos en Dieu.

11. La méditation modifie le contenu de votre subconscient et du subconscient de la personne pour qui vous priez. Remplissez votre conscience des vérités divines. Les contenus négatifs de votre subconscient s'évanouiront du même coup.

12. Il peut arriver que vous entendiez très distinctement la voix de votre mère bien qu'elle se trouve à dix mille kilomètres de vous. Votre subconscient choisit une voix que vous entendez immédiatement et à laquelle vous obéissez.

13. En toute situation vous pouvez vous protéger efficacement en prenant conscience de la présence de Dieu et en reconnaissant que cette présence est celle de l'ordre et de l'harmonie, de la paix et de la joie, de l'amour et de la perfection.

6

LES RÊVES PRÉMONITOIRES
ET LE VOYAGE ASTRAL
COMME RÉPONSES À VOS INCERTITUDES

Dans la Bible il est dit : *Par les songes, par des visions nocturnes, quand une torpeur s'abat sur les humains et qu'ils sont endormis sur leur couche, alors il parle à leurs oreilles, il les épouvante par des apparitions* (Job 33, 15-16).

Après quoi, avertis en songe de ne point retourner chez Hérode, ils prirent une autre route pour rentrer dans leur pays (Matthieu 2, 12).

La Bible est remplie de récits relatifs à des visions, des révélations et des avertissements oniriques. Lorsque vous dormez votre subconscient est totalement en activité. Lui, ne sommeille jamais. Souvenez-vous que Joseph interpréta les rêves du pharaon et que ses prédictions se révélèrent exactes. La faculté de Joseph à prédire l'avenir fit naître à son égard un sentiment de respect et de reconnaissance dans le cœur du roi.

Lorsque vous rêvez votre conscience est déconnectée : elle est en sommeil. Votre subconscient s'adresse générale-ment à vous sous une forme symbolique. C'est pourquoi il existe depuis des temps immémoriaux des spécialistes dans l'interprétation des rêves. Aujourd'hui, il est bien connu que de nombreux psychologues, des psychiatres, des psychanalystes des écoles freudienne et jungienne et toute une gamme de psychothérapeutes se consacrent à l'étude des rêves et tentent de les interpréter pour le bien de leurs patients. Il n'est pas rare que cette élucidation mette à jour des conflits psychiques, des angoisses, des complexes ou d'autres perturbations sur le plan affectif.

Tous vos rêves obéissent à un processus de théâtralisation orchestré par votre subconscient. Dans de nombreux cas il cherche à vous avertir d'un danger imminent. Certains rêves relèvent sans nul doute des phénomènes parapsychiques et permettent d'anticiper l'avenir de manière précise. Dans d'autres vous obtiendrez des réponses à vos prières. Tous les événements négatifs suggérés en songe sont susceptibles d'être modifiés et ne sont en aucun cas inévitables !

Par cette activité onirique votre subconscient vous dévoile la nature des impressions et des sensations qu'il a enregistrées et vous délivre des informations précises sur votre vie. Des analyses scientifiques ont démontré que les symboles utilisés par le subconscient d'un individu sont, en dehors de quelques archétypes, purement personnels et ne sont valables que pour lui. Le même symbole utilisé dans le rêve d'une autre personne peut y avoir une signification complètement différente.

Bref, votre rêve est personnel. Il ne concerne que vous, même si son contenu se rapporte à la relation que vous entretenez avec une autre personne.

L'interprétation d'un rêve

Il y a quelques mois une étudiante qui avait lu mon livre *La Puissance de votre subconscient* vint me voir pour une interview. Elle se souvint, à un moment donné de la conversation : « J'ai eu trois nuits de suite un rêve dans lequel je participais à un banquet donné en l'hommage du gouverneur de New York, Monsieur Rockefeller. J'étais même assise à côté de lui en tant qu'invitée d'honneur. Que signifie cela ? »

Je lui signalai que ce rêve exprimait son désir et que son interprétation devrait nous en fournir le sens. Je voulus savoir ce que signifiait pour elle la participation à un banquet présidé par Rockefeller. Elle me rétorqua sans hésiter que cela était pour elle symbole de richesse, de considération, d'honneurs, de prestige. J'ajoutai qu'il se pouvait que son subconscient lui révélât l'obtention d'une situation valorisante ou une grosse rentrée d'argent. Elle approuva, considérant cette éventualité comme concevable.

Deux semaines plus tard elle obtint une bourse qui lui permettait de financer des études en France. De plus elle hérita cinquante mille dollars de sa grand-mère qui, à sa mort, lui réserva cette somme pour ses études et ses besoins personnels. Elle fut également invitée au banquet organisé lors de la prise de fonction du gouverneur Reagan. Elle s'y rendit et y tissa des liens prometteurs.

Comme vous le constatez, cette étudiante n'a pas pris le rêve à la lettre. L'imagination humaine, quand elle est domestiquée comme c'est le cas avec Joseph dans la Bible, peut dépouiller le rêve de son apparence extérieure et déceler l'idée qui se cache derrière les symboles.

Une femme découvre dans un songe la maison qu'elle souhaitait

Une jeune mariée de Beverly Hills fit le même rêve six nuits de suite. Elle parcourait la maison qu'elle voulait acheter, faisait la connaissance de ses locataires, caressait le chien, s'entretenait avec la bonne espagnole dans la langue de celle-ci. Elle visitait toutes les pièces, même le grenier et le garage.

Le dimanche suivant elle fit après la messe une promenade en voiture avec son mari. Aux environs de Brentwood elle vit tout à coup la maison de ses rêves. A l'entrée se trouvait un écriteau : « A vendre, entrée libre ». Elle se rendit à l'intérieur accompagnée de son mari. Le propriétaire, sa femme et l'employée de maison eurent l'air ahuris et presque épouvantés. Les poils du chien se hérissèrent, il se mit à grogner.

Au bout de quelques minutes le maître des lieux s'excusa : « A plusieurs reprises dans la nuit et au petit jour nous avons vu une femme comme vous monter et descendre l'escalier. Notre domestique était morte de peur, le chien s'est mis à grogner et à aboyer sauvagement comme s'il voyait quelque chose d'inquiétant. »

La jeune femme expliqua à ces gens qu'elle avait prié pour trouver une maison à sa convenance et que, chaque soir, elle avait chargé son subconscient de la conduire à une demeure spacieuse, belle et bien centrée, bref à la maison idéale.

Il ne faisait aucun doute que l'idée de la maison avait dominé son esprit dans la phase d'endormissement et qu'elle avait donc confié une mission à son subconscient, *mission qu'il se devait d'accomplir*. En rêve elle s'était retrouvée à l'extérieur de son enveloppe physique et avait eu l'impression de « s'évaporer ». Il lui fut donc possible de franchir des portes fermées et de « voyager » à travers le temps et l'espace. Elle était parvenue jusqu'à la maison et avait fait la connaissance des lieux et des habitants.

Elle avoua à ces personnes qu'elle aussi avait d'abord été ébahie avant de les revoir plusieurs fois en rêve.

Cette femme avait été perçue par les gens dont elle avait visité l'habitation sous une forme concrète. Il s'agissait d'une perception visuelle et auditive car ces personnes l'avait vue distinctement et avaient entendu ses pas. La jeune femme elle-même avait vu son corps physique étendu sur le lit et savait qu'elle « voyageait » et agissait hors de son enveloppe corporelle. Ce type de projections peut être perçu sous forme de phénomènes matériels par des sujets dont la sensibilité et le psychisme sont réceptifs aux vibrations spirituelles et aux épisodes paranormaux. Dans de telles situations on parle de voyage astral (déplacement du « corps astral » constitué d'un fin tissu de matière). La parapsychologie moderne appelle ce phénomène expérience extra-corporelle et en attribue l'origine à une voyance à travers l'espace.

Le couple acheta la maison et les négociations concernant cette opération se déroulèrent dans un climat de totale harmonie.

Le rêve de l'auteur se réalise

Je devais faire des conférences à l'université indienne de Yoga Forest à Rishikesh, une ville située au nord de Delhi. Avant de m'envoler pour l'Inde je fis pendant plusieurs nuits des rêves forts et intenses au cours desquels je déambulais sur le campus de l'université en faisant la connaissance des professeurs et des étudiants.

A mon arrivée je constatai que je connaissais déjà les lieux. Les immeubles, les salles de cours, les professeurs et les étudiants m'étaient familiers. Je décrivis à mon accompagnateur indien la chambre que l'on m'avait réservée, n'oubliant aucun détail de son aménagement intérieur. Je lui révélai aussi les plats qu'il pensait me servir. J'étais même en mesure de lui dire quelle serait sa réponse car j'avais déjà entendu sa voix. Extrêmement surpris, il s'exclama : « Vous avez sans doute le don de la voyance. »

Je lui fis part de mon expérience. Sachant que je devais faire des conférences à la Yoga Forest University, je m'y étais rendu en songe au plus profond de mon sommeil et

81

j'avais vécu en rêve tout ce dont je ferais plus tard l'expérience à l'état de veille.

Lorsque je me présentai au yogi Sivenanda qui dirigeait le centre pédagogique, il me fit la confidence suivante : « Je vous ai vu plusieurs fois en rêve. J'ai également entendu votre voix ! » Je lui répondis que la réciproque était vraie, que chez moi je m'étais imaginé un voyage merveilleux, que j'avais influencé mon subconscient en ce sens et que je m'étais endormi sur ces pensées. J'avais fait sa connaissance mentalement avant de venir, lors d'une expérience imaginaire qui s'était matérialisée parce que, pendant que mon corps dormait dans mon lit à Beverly Hills en Californie, j'avais « voyagé » jusqu'ici et j'avais arpenté les locaux de son centre universitaire.

Maintenant, alors que j'étais sur place en chair et en os, je concrétisai l'expérience que j'avais faite mentalement lors de mon périple extra-corporel. En d'autres termes : ce que je voyais et ce que j'entendais maintenant de manière objective avait déjà été perçu par ma subjectivité.

De son côté le yogi Sivenanda avait eu une vision prémonitoire de ma personne. L'homme est capable, le cas échéant, de penser, de parler, d'agir et de voyager hors de son corps. Il peut voir et être vu, comprendre et être compris, transmettre des informations et rendre compte de tout ce qu'il a vu. L'ensemble de ses facultés – la vue, l'ouïe, le goût, l'odorat, le toucher – peut également fonctionner de manière autonome sur le plan mental, indépendamment des cinq sens. Ceci, comme tous les phénomènes qui relèvent de la perception extra-sensorielle, prouve que, par-delà notre univers matériel, il existe des réalités situées dans d'autres dimensions et que la sagesse créatrice dont nous sommes le siège nous pousse à exploiter tout notre potentiel mental, lequel va bien au-delà de l'espace à trois dimensions que connaissent nos actuelles sciences physiques.

Son rêve le préserve d'un dommage physique

Un homme, apparemment en pleine possession de ses moyens, rêvait sans arrêt qu'il était opéré de la prostate. Il me demanda s'il devait subir un examen médical approfondi car il ne ressentait aucune douleur et ne décelait aucun symptôme. Il était venu me voir pour un douloureux problème d'ordre conjugal. Je lui expliquai le mode d'action de son subconscient en soulignant bien que, si celui-ci le poussait à agir, c'était manifestement le signe d'une souffrance organique ou d'un quelconque dysfonctionnement. Le subconscient dont les jugements découlent de la réalité lui révélait sa maladie sous la forme d'un rêve. J'insistai sur le fait que son rêve le concernait personnellement et que toute explication ou toute interprétation devrait coïncider avec une approche plus intuitive.

En tous cas, je lui recommandai de consulter rapidement un médecin et de se faire examiner par un urologue. Pourtant il repoussait la visite. Quelques jours plus tard, il fut victime d'un adénome qui provoqua des problèmes urinaires extrêmement douloureux. Son médecin de famille le conduisit immédiatement à l'hôpital où un urologue l'opéra.

Lorsque je lui rendis visite à la clinique, peu de temps après, il me dit : « J'aurais dû écouter mon rêve et agir plus vite. » A ma plus grande joie il récupéra rapidement en suivant mes conseils et en concentrant sa pensée sur des idées de bien-être, de vitalité, d'harmonie et de parfaite santé.

Comme vous le voyez, son subconscient l'avait averti et poussé à faire quelque chose car il avait repéré son infection de la prostate bien avant l'apparition des premiers symptômes. Le pressentiment ou la sensation prémonitoire de devoir se faire opérer avait vraisemblablement été déclenché par une douleur déjà existante. Il avait pourtant commis l'erreur de reporter une indispensable visite médicale.

Souvent les rêves nous livrent de bons conseils. La clé de leur application pratique réside dans le décodage psychique de leur contenu.

Les différents types de rêves

Il y a plusieurs sortes de rêves. Les rêves anecdotiques s'inspirent d'événements vécus à l'état de veille. D'autres sont comme des sonnettes d'alarme annonciateurs de maladies ou de périls. Il existe aussi des rêves qui sont l'exutoire d'une pulsion agressive, d'un refoulement, d'une angoisse ou d'un désir. Les désirs refoulés ou les tendances sexuelles déviantes s'extériorisent dans les rêves érotiques, les superstitions dans des rêves dont les protagonistes sont des sorcières, des fantômes ou des animaux.

Il n'est pas rare que l'homme fasse des rêves prémonitoires qui sont non seulement l'anticipation d'événements futurs, mais aussi l'annonce d'une menace.

Un rêve éveille les soupçons de la mariée

Une jeune femme me raconta quelle réponse étonnante elle obtint dans un rêve. Elle s'était dit le soir avant le coucher avec ferveur et conviction : « La sagesse infinie qui habite mon subconscient me conseillera à propos de mon mariage avec X. » Pendant la nuit elle fit un songe très surprenant. Elle vit son fiancé en prison. Devant sa cellule se tenait un gardien en armes. Une voix masculine lui demanda : « Reconnais-tu cet homme ? »

Elle se réveilla en sursaut et perçut intuitivement que l'homme emprisonné dans son rêve était son fiancé. Le lendemain matin elle téléphona à son frère qui était fonctionnaire de police dans le commissariat local et lui demanda de prendre des renseignements sur son fiancé. Son frère découvrit qu'il était déjà marié et qu'il avait abandonné sa femme à New York ; en outre il avait purgé une peine de prison de cinq ans. Il avait bien entendu caché tout cela à sa future épouse. Elle rompit aussitôt les fiançailles, profondément reconnaissante envers la providence qui est toujours prête à nous protéger. Il faut seulement savoir entendre cette voix intérieure.

Le Seigneur a dit : ... *c'est en vision que je me révèle à lui, c'est dans un songe que je lui parle* (Nombres 12, 6).

Comment bien se préparer mentalement au moment du coucher

Quand vous avez sommeil ou lorsque vous êtes à moitié endormi votre subconscient est particulièrement accessible car il est très sensibilisé et réceptif. Les pensées et les sensations que vous avez avant de vous endormir lui sont immédiatement transmises. Il commence dès lors à réagir pour satisfaire votre désir ou la requête que vous adressez à la providence. Il est productif et toujours prêt à répondre aux souhaits, aux idées et aux indications que vous lui transmettez consciemment à l'état de veille et à agir pour ainsi dire de manière autonome dans la direction proposée.

N'oubliez pas que votre subconscient est impersonnel et ne choisit pas : il accepte vos pensées négatives qui baignent dans la peur, le doute et la haine comme vos pensées bonnes et constructives et agit en conséquence. Il amplifie et multiplie comme une matrice ce que vous déposez en lui, que ce soit *bon* ou *mauvais*. C'est pourquoi il est extrêmement important de vous débarrasser le soir venu de toutes les pensées envahissantes, dérangeantes et destructrices et de créer ainsi un chenal que pourront emprunter les énergies divines pour se propager en vous sans entraves.

Passez en revue avant de vous endormir les événements de la journée et quelles que soient les contrariétés, les tensions ou les crispations récitez fortement en vous-même :

« Je me pardonne totalement d'avoir eu ces idées négatives et d'avoir réagi si négativement à tel ou tel problème. Je suis résolu à traiter ces problèmes de manière appropriée la prochaine fois. Il émane de ma personne amour, paix et gentillesse. L'amour de Dieu remplit mon âme et je me réjouis du succès et du bonheur de mes collègues ainsi que de tous les hommes et toutes les femmes de la terre. En moi règne la paix. Je m'endors dans la paix, je me réveillerai dans la joie avec le sentiment d'appartenir à Dieu. Je le remercie pour le bonheur de voir ma prière exaucée. »

Le rêve d'une mère protège sa fille

Il y a peu de temps, une femme m'écrivit qu'elle avait récité pour elle-même et pour sa fille les prières que je recommande dans le livre que j'ai écrit sur *Les Prodiges de l'esprit*. Une nuit elle vit en rêve sa fille, une adolescente, se faire violer et étrangler par un jeune garçon. La scène se déroulait dans une voiture quelque part sur une route de campagne. Le rêve était si horrible qu'elle s'était réveillée en hurlant.

Elle décida d'écouter cet avertissement car elle savait qu'il n'y a pas de destin inéluctable et qu'elle pouvait éviter la tragédie en s'unissant à Dieu et en priant. Elle prononça la prière suivante :

« Ma fille est une enfant de Dieu. Dieu l'accompagne partout où elle se trouve. Dieu est harmonie, paix, beauté, joie et puissance. Ma fille baigne dans son univers sacré qui l'environne comme une cuirasse. Dieu, son père bien-aimé, veille sur elle. Elle est sous la protection de l'Etre suprême, dans l'ombre du Tout-Puissant. »

Après quoi elle médita pendant une dizaine de minutes le contenu de cette prière. La paix et la quiétude envahirent son esprit. Elle put se rendormir.

Le lendemain matin elle essaya de téléphoner à sa fille qui se trouvait dans un internat relativement éloigné. Elle ne put la joindre car c'était un jour férié dans cet Etat. Elle pria toute la journée pour sa fille. Le soir la jeune fille appela d'elle-même en disant : « Maman, tu m'es apparue la nuit dernière en rêve et tu m'as suppliée de ne pas accompagner l'un des garçons de notre école parce qu'il est très agressif et que je le regretterai certainement. J'étais toute retournée. Ce matin, il a appelé pour m'inviter à une promenade à la campagne. J'ai prétendu que j'étais malade et j'ai refusé. Mon amie est partie avec lui. Je lui avais pourtant demandé de ne pas y aller car je lui avais fait part de mon rêve. Il l'a violée et presque étranglée. Elle est à l'hôpital et la police recherche ce type. Il s'est volatilisé. »

Entre les membres d'une même famille et des personnes qui s'aiment ou sont liées par une profonde amitié la transmission de pensées est toujours possible car ces personnes sont constamment soudées entre elles par des liens qui relèvent de la télépathie. La fille fut sensible à la prière de la mère et put ainsi être préservée d'une catastrophe qui aurait sans doute endommagé sa vie entière.

La Bible dit : *Il a pour toi donné ordre à Ses anges de te garder en toutes tes voies. Sur leurs mains ils te porteront pour qu'à la pierre ton pied ne heurte* (Psaume 91, 11-12).

1. Les rêves sont des mises en scène de votre subconscient qui ont ordinairement un caractère symbolique. Une imagination exercée peut feuilleter ce scénario et mettre en lumière son contenu latent.

2. Certains rêves ont un caractère prémonitoire. Ces visions vous révéleront un événement avant qu'il ne se produise. Ceci est possible car l'esprit abolit les notions de temps et d'espace.

3. On peut agir contre des rêves dont le contenu est négatif en recherchant la présence de Dieu en soi et en s'identifiant mentalement et émotionnellement aux postulats divins. Les schémas négatifs qui se sont infiltrés dans le subconscient se métamorphoseront en pensées positives.

4. Il a été possible à une femme de quitter son corps pour découvrir la maison de ses rêves, de la visiter, de voir ses habitants et tout son aménagement intérieur. Tout individu sensitif peut faire de tels « voyages » suprasensibles.

5. Il y a quelques années je me suis trouvé en rêve à l'extérieur de mon corps, à des milliers de kilomètres de chez moi, à l'université indienne de Yoga Forest. Lors de ce voyage hors de la réalité sensible je découvris les locaux de l'université ainsi que les professeurs et les étudiants.

6. Il est possible de voir, d'entendre, de sentir, de goûter, de toucher et de voyager indépendamment de l'organisme physique. Toutes les facultés des sens sont également présentes sur un plan purement mental où leur fonctionnement assure une perception extra-sensorielle. Ceci démontre qu'il existe une réalité de l'esprit située dans une autre dimension et que l'homme doit tirer parti de ce potentiel mental et psychique.

7. Si vous rêvez que vous êtes opéré, la voix intuitive de votre subconscient vous interpelle sous la forme d'un rêve prémonitoire pour vous signaler l'émergence d'un phénomène pathologique comme le dérèglement d'un organe par exemple. Un examen médical est alors recommandé. Les informations et les avertissements du subconscient cherchent toujours à préserver la vie.

8. Il y a des rêves de différente nature. Si vous êtes plein d'amertume et de colère au moment du coucher votre subconscient peut transformer ces impressions négatives en scénario-catastrophe. C'est pourquoi il est conseillé de se coucher dans un climat de conciliation et d'entente à l'égard de ses semblables.

9. Il existe une technique adéquate qui consiste à se libérer de toutes les pensées négatives avant de s'endormir en ayant présentes à l'esprit les vérités que Dieu nous inculque. Souhaitez aux autres de devenir des objets d'amour et de sympathie et affirmez avec foi : « Je dors en paix, je m'éveillerai dans la joie, je vis pour et par Dieu. »

10. La Bible nous dit que le Seigneur veut *se révéler à l'homme par une vision ou parler avec lui dans un rêve*. A travers ce rêve ou cette vision c'est la sagesse divine qui parle.

7

LES IMPRESSIONS CONTENUES DANS VOS RÊVES
PEUVENT VOUS AIGUILLER
EN CAS DE PROBLÈME OU DE DANGER

En ma qualité de directeur spirituel, j'ai constaté que tous les individus, quelle que soit leur origine sociale, sont fascinés par les rêves. De nos jours des équipes de psychologues et de médecins explorent notre activité onirique en la soumettant à de multiples expériences effectuées en laboratoire. Les scientifiques ont démontré que tout le monde rêve. Par ailleurs, ils ont constaté dans le cadre de tests approfondis que des perturbations mentales, psychiques, voire physiques, se manifestent chez un sujet dont l'activité onirique a été systématiquement interrompue dans sa phase initiale.

Les psychologues Sigmund Freud, Carl Gustav Jung et Alfred Adler se rendirent célèbres par leur exploration médicale de la psyché. Stimulés par l'interprétation des rêves de leurs patients, ils furent les pères fondateurs de plusieurs écoles : la psychanalyse (Freud), la psychologie analytique (Jung) et la psychologie individuelle (Adler). Ils ont tous trois décrit les mécanismes du rêve en détail, mais leurs interprétations et leurs conclusions divergent profondément. Les différences sont telles que je ne souhaite pas les aborder ici même sous une forme superficielle. Ce chapitre n'a pas pour vocation d'être un exposé scientifique. Je cherche simplement à vous démontrer que la clé de vos problèmes réside souvent dans un rêve sous la forme d'une réponse claire et distincte.

Le rêve de Billy devient réalité

Billy a douze ans. Il assiste de temps à autre à mes conférences car je conseille aux parents de laisser participer leurs enfants aux séances à partir de douze ans. Les enfants de cet âge sont parfaitement à même de comprendre mon enseignement.

Billy me raconta un jour que sa mère lui avait donné un livre qui parlait des îles Hawaï. Cet ouvrage lui plut énormément et, comme il sait à peu près comment fonctionne son subconscient, il s'est dit chaque soir avant de s'endormir : « Cher subconscient, je passe mes vacances à Hawaï. J'y vais en avion, je me baignerai, je ferai du vélo dans les îles et j'habiterai dans un bungalow. Donne-moi une réponse claire, s'il te plaît ! »

Billy ne parla ni à son frère ni à ses parents du vœu qu'il avait fait. A la suite des suggestions transmises à son subconscient il fit un rêve dans lequel il voyait clairement un bungalow, le nom de l'hôtel Hilton et l'île Maui qui fait partie de l'archipel des îles Hawaï. Le lendemain matin il dit à sa mère : « Maman, nous allons passer nos vacances à Hawaï ! » et lui fit part de détails étonnants.

Elle répondit en riant : « Tiens, c'est nouveau ! Qu'est-ce qui te permet de dire ça ? »

Billy rétorqua : « Je sais simplement que nous irons là-bas en avion et que nous habiterons dans un bungalow près d'un hôtel. »

91

La mère ne vit dans ce rêve que le produit d'une extravagance enfantine.

Deux semaines plus tard le père de Billy, qui n'était pas au courant du rêve, dit que sa femme et ses deux fils devraient passer les vacances à Hawaï. Il avait découvert et apprécié l'archipel durant le séjour qu'il y fit en tant qu'officier de marine. Cette décision était la récompense des excellentes notes de Billy. Billy exultait : « Je te l'avais dit, maman ! Nous allons à Hawaï ! » Le rêve du garçon se réalisa dans les moindres détails entrevus de manière prémonitoire ; même le bungalow ressemblait en tous points à celui qu'il avait imaginé.

Comme vous le voyez, ce garçon fit un rêve qui fut vraiment le présage de la réalité. Le subconscient est réceptif aux suggestions et Billy avait dit qu'il souhaitait une réponse claire. Son subconscient réagit en conformité avec son souhait.

Le rôle des rêves non codés

Depuis plusieurs années je suggère à mon subconscient la chose suivante avant de m'endormir : « Je vais faire des rêves clairs et non codés et je me souviendrai de ces rêves. » Il semble bien qu'au fil du temps je l'aie convaincu car, dans quasiment quatre-vingt-dix pour cent des cas, je n'ai pas à déchiffrer mes rêves que je lis au sens littéral comme la gazette du matin lors du petit déjeuner. Ils me fournissent de nombreuses réponses aux requêtes que j'exprime dans mes prières.

La manifestation répétée de « rêves morbides », de cauchemars qui comportent des scènes d'agression, d'angoisse et de vertige peut être tout à fait évitée. Votre conscience façonne votre subconscient dont l'activité se répercute sur le rêve. Vous modifierez la nature de vos rêves en utilisant la possibilité qui vous est offerte de sélectionner des images et des pensées bonnes, belles et réjouissantes et d'écarter de votre sommeil toutes les pensées défavorables dont vous avez fait usage durant la journée pour discipliner vos réflexions et museler votre imagination.

Une de mes auditrices me téléphona récemment en me priant, pour reprendre ses propres termes, de lui accorder ma bénédiction pour le voyage qu'elle projetait de faire en Europe. Ma réponse fut la suivante : « L'amour de Dieu et son harmonie vous précèdent, aplanissent votre route en la rendant heureuse et glorieuse. Les messagers de Dieu, source de vie, d'amour, de vérité et de beauté, veillent constamment sur vous. Tous les moyens de transport que vous utilisez sont à l'image d'un voyage placé sous le signe du divin. De ville en ville, l'idée d'amour et de liberté ne vous quittera pas. Vous serez toujours sous la protection de l'Etre suprême, dans l'ombre du Tout-Puissant. »

Dans la nuit qui suivit, cette femme m'apparut en rêve : elle était en Angleterre en train d'acheter un billet d'avion pour la France. Juste après, je vis l'appareil qu'elle devait prendre être la proie des flammes et s'écraser. Je l'appelai le lendemain matin en lui disant que, compte tenu des auto-suggestions pratiquées sur mon subconscient, la vérité m'était souvent révélée sans ambiguïté à travers mes rêves. Je lui demandai si elle projetait un voyage en France durant son séjour en Europe. Quand elle me répondit par l'affirmative, je lui fis part de mon rêve et lui conseillai de ne pas prendre cet avion pour se rendre en France.

En guise de réponse elle ajouta : « Je vous suis très reconnaissante de m'avoir appelée ! Mon frère qui est mort il y a deux ans m'est également apparu en rêve cette nuit pour me dire : "Suzanne, ne monte en aucun cas dans l'appareil qui va à Perpignan !" Puis il a disparu. J'ai déjà annulé la réservation car un fort sentiment intérieur me dit qu'un accident pourrait se produire. »

Plus tard les titres des médias annoncèrent la catastrophe au cours de laquelle quatre-vingt-huit personnes périrent.

Si vous avez lu ce livre avec attention depuis le début, la cause des deux rêves vous apparaîtra clairement. Par le biais de la prière commune au téléphone, cette femme et moi-même avions sollicité et activé notre subconscient, lequel voit tout et est au courant de tout. Dans son cas, il avait réagi symboliquement, dans le mien par des images sans équivoque.

L'instinct de conservation est la loi suprême de la vie. Votre subconscient, s'il est mis à contribution par des pensées positives, cherche toujours à vous protéger, à vous préserver des dommages de tout ordre. N'oubliez pas non plus que l'harmonie et la dissonance sont incompatibles. Cette femme ne pouvait donc pas être dans un avion en flammes sur le point de s'écraser après avoir affirmé avec force que l'amour et l'harmonie divins la précédaient, aplanissant la route qui conduit au bonheur.

L'apparition de son frère faisait partie de la mise en scène imaginée par son propre subconscient qui est omniscient et savait qu'elle serait attentive à cette voix. C'est son frère qui l'avait élevée car son père était mort durant son enfance. Il lui avait fait faire des études supérieures qu'il avait totalement financées. Elle avait donc avec lui des liens profonds.

Un jeune garçon désamorce
l'angoisse de ses cauchemars

Un jeune garçon qui était travaillé par des histoires de fantômes tirées de ses lectures fut conduit à moi par sa mère. Toutes les nuits un homme revêtu d'un drap blanc le terrorisait en lui disant d'un ton menaçant : « Je suis venu te chercher car tu es un méchant garçon. » Ce cauchemar avait un effet dévastateur sur l'enfant qui se réveillait chaque nuit en hurlant.

Je lui conseillai de ne plus lire d'histoires de revenants car son moi profond hypertrophiait les pensées et les images mentales conçues par son esprit avant de s'endormir. En outre, je lui recommandai la chose suivante : « Si l'homme-fantôme revient dans ton rêve, sois gentil avec lui car c'est sans doute un vieil homme solitaire qui en vérité aime les enfants. Il souhaiterait que tu sois gentil à son égard. Peut-être a-t-il perdu un fils et cherche-t-il un garçon qui lui ressemble. Cette nuit, quand tu dormiras et qu'il viendra te voir, tu diras : "Je te salue, je suis ton ami et je t'aime bien." Serre-lui la main et offre-lui quelques-uns des biscuits que ta mère a faits pour toi. »

Le soir même, il prit des biscuits dans son lit et les plaça sous son oreiller. Lorsque l'homme apparut, sa mère, dont le lit se trouvait à côté du sien, l'entendit proclamer à voix haute dans son sommeil : « Je te salue, je suis ton ami et je t'aime bien. Voici quelques biscuits pour toi. C'est ma mère qui les a préparés. Ils sont vraiment bons. » Il les prit sous son oreiller et les proposa au fantôme. Sa peur se dissipa aussitôt. Il se détendit avant de sombrer dans un sommeil profond et réparateur. Il put ainsi se libérer de son effroyable cauchemar.

Il avait accepté les suggestions que je lui avais faites et avait suivi mes conseils. Ainsi avait-il réussi à combattre les impressions angoissantes qu'il avait inconsciemment imprimées dans son subconscient.

Comment remédier à un rêve dérangeant

Nombreux sont ceux qui, après avoir lu des romans policiers ou regardé à la télé des histoires criminelles vont se coucher en ayant à l'esprit des idées et des images morbides qui se figent dans leur subconscient. Du fait que notre moi profond amplifie et théâtralise de manière caricaturale ce qu'on lui suggère, ces personnes souffrent souvent de visions cauchemardesques où elles se voient attaquées par des lions, des tigres et autres animaux sauvages. Je leur ai souvent conseillé de s'imprégner des phrases suivantes avant de s'endormir : « Je sais pourquoi je rêve et je sais qu'il s'agit d'un rêve. Je continuerai de rêver, mais les cauchemars cesseront ; ils seront déconnectés de moi-même. L'amour de Dieu inonde mon âme. Je rêverai la nuit durant en paix et je me réveillerai dans la joie. »

Cette technique simple est toujours efficace. Tout le monde peut l'utiliser pour se désintoxiquer l'esprit et chasser les rêves angoissants qui se manifestent lorsqu'on a lu des histoires de meurtres ou de revenants ou lorsqu'on a regardé à la télévision des films de guerre ou des émissions mettant en scène des psychopathes.

Je vous recommande, à vous et à tout le monde, de lire plusieurs fois avant le coucher l'un des psaumes les plus beaux et les plus édifiants, par exemple les numéros 23, 27, 42, 46, 91 ou 100. Ainsi neutraliserez-vous les schémas défavorables qui se sont imposés à votre subconscient et vous pourrez mettre à leur place des idées belles, réjouissantes et positives pour vous. Tout ce que vous implantez dans votre subconscient réapparaît dans votre vie sous des formes, des fonctions, des expériences et des événements variés.

Un juge voit le verdict lui apparaître en rêve

Un juge de ma ville natale qui fait partie de mon club me raconta un jour un rêve très intéressant. Durant quatre ou cinq nuits il avait vu en rêve une pancarte avec l'inscription « Rue Murphy », à la suite de quoi il s'était retrouvé au milieu d'une grande foule de gens au Wilshire Ebell Theatre de Los Angeles où je tiens souvent des conférences. Ma personne n'apparaissait pas dans son rêve. Cette vision le préoccupa beaucoup et il en parla à sa femme qui lui conseilla de s'en ouvrir à moi.

Je lui fis part de mes conclusions : « Lorsqu'un rêve se reproduit nuit après nuit, son contenu est mis en scène par votre subconscient, en règle générale plusieurs fois, parce que ce rêve est très important pour vous. Il agit comme vous lors d'un procès lorsque vous voulez mettre l'accent sur un point particulièrement important sur le plan juridique et dont la nature doit être perçue par les jurés. Toutefois votre rêve est strictement personnel et toute interprétation doit se faire en conformité avec votre conviction. »

D'après les informations que me livrait mon intuition, je lui signalai que son subconscient avait sans doute de bonnes raisons, du fait qu'il n'y a pas de « Rue Murphy » aux environs du Wilshire Ebell Theatre, de l'inciter à assister à ma conférence du dimanche à venir qui portait sur le thème suivant : « Quelle attitude intellectuelle et morale adopter face à l'injustice ? » La rue qui portait symboliquement le nom de Murphy se rapportait de toute évidence au conférencier, donc à moi.

Le juge m'approuva d'un air pensif et dit au bout d'un moment : « C'est exact. J'ai passé quelques nuits blanches à cause d'une décision que je devais prendre et, comme j'étais indéterminé sur mon choix, j'ai longuement réfléchi pour savoir quelle attitude morale l'on doit adopter lorsque le droit et la justice ne semblent pas devoir coïncider. Il y a en effet de telles injustices et de telles inégalités en ce monde depuis que l'homme y réside. »

Le dimanche, il vint à ma conférence et me dit à l'issue de celle-ci : « Vous aviez raison. Mon rêve avait raison. Je sais désormais quelle sera la sentence. »

Les voies du subconscient sont impénétrables. Dans la Bible l'action du subconscient est décrite dans les termes suivants : *Car vos pensées ne sont pas mes pensées, et mes voies ne sont pas vos voies, oracle de Yahvé. Autant les cieux sont élevés au-dessus de la terre, autant sont élevées mes voies au-dessus de vos voies et mes pensées au-dessus de vos pensées* (Isaïe 55, 8-9).

Le rêve d'un étudiant en théologie

Il y a peu de temps, un jeune homme qui était étudiant en quatrième année de théologie vint me voir. Il me dit que le rêve symbolise, selon les conclusions de Freud, la réalisation d'un désir. Pourtant ce postulat ne se vérifiait pas dans le cas des rêves qu'il faisait.

Lors de la discussion qui suivit, je lui expliquai que son subconscient pouvait très bien projeter dans un rêve ses sujets d'inquiétude. Dans la mesure où il se consacrait des journées entières et de manière intensive à l'exégèse biblique et à ses études théologiques, il se pouvait que l'objet de ses pensées, qu'il s'agît d'une personne ou d'une chose, réapparût dans ses rêves sous une forme symbolique en s'inspirant de tel verset ou de tel personnage biblique. Il n'avait qu'à relire la vision de saint Pierre dans les Actes des Apôtres en commençant au verset 9 ; il verrait alors comment le dilemme de Pierre fut résolu dans un rêve quand la voix de l'intuition s'adressa à lui en ces termes : ... *Ce que Dieu a purifié, toi, ne le dis pas souillé* (Actes des Apôtres 10,15).

L'étudiant avait, pendant plusieurs nuits, vu en rêve un homme qui, selon toute vraisemblance, était Jésus et qui brandissait une épée lumineuse. Puis des mots lui parvinrent à l'oreille : « Je ne suis pas venu pour apporter la paix, mais un glaive. »

Le jeune homme me confia son désarroi : « Je suis complètement désorienté. Je suis déjà allé voir le psychiatre qui est rattaché à notre institut. Il m'a donné des calmants qui m'ont effectivement soulagé. Mais je mets sérieusement en doute tout ce que je lis, entends ou apprends. Je ne peux pas prendre la Bible au pied de la lettre. Je pense que tous les hommes sont des enfants de Dieu, que celui-ci ne regarde pas la personne et qu'aucune Eglise n'a le monopole de la félicité éternelle. »

Les témoignages bibliques concernant l'interprétation des rêves soulignent l'importance cruciale des songes prophétiques ou d'inspiration divine tels qu'ils apparaissent fréquemment dans l'Ancien et le Nouveau Testament. La langue de la Bible est symbolique, figurative et allégorique et les anecdotes bibliques sont sans aucun doute le produit d'esprits imaginatifs.

Le glaive est le symbole ancestral de la vérité, de la présence de Dieu en chacun, une présence qui éradique l'ignorance, les fausses convictions et les peurs de toute nature. Quand l'homme découvre le fonctionnement réel de sa conscience et de son subconscient, il découvre en même temps qu'il est le maître de son destin. Cette vérité bouleverse et est forcément source de conflits.

Je l'expliquai à l'étudiant : « Votre rêve vous dit que vous devez penser vous-même le problème qui vous oppresse, non pas sur la base de définitions superficielles ou de postulats théologiques, mais en vous inspirant de réflexions qui reposent elles-mêmes sur les lois universelles de la spiritualité, des lois qui sont aussi valables que celles de la chimie, de la physique ou des mathématiques. Le rêve vous signale que vous devez accepter la part de divinité qui est enracinée en vous et qui est une réponse à toutes les interrogations humaines. Prenez une décision en vous laissant guider par les vérités universelles et divines qui sont aujourd'hui ce qu'elles étaient hier et seront de toute éternité. La vérité divine qui est en vous ne vous laissera pas de repos tant que vous ne croirez pas à la bonté de Dieu, à son amour, à son harmonie ; tant que vous n'aurez pas part à la joie du Seigneur qui est votre force. »

L'étudiant dut affronter un conflit intérieur terrible : il prétendait croire à quelque chose qui lui semblait faux au plus profond de son être. Ce conflit avait provoqué son effondrement sur le plan psychique. Il avait besoin de médicaments et d'un traitement psychiatrique. Cependant, dès que l'action des médicaments cessait, l'infection mentale due à son traumatisme reprenait de plus belle et le harcelait. Il ne trouvait pas de solution et le rêve revenait.

Le jeune homme, après avoir écouté mes explications, me répondit la chose suivante : « Chaque mot que vous avez prononcé me semble très juste. Quels que soient l'opinion et les arguments de mes parents, j'arrête mes études de théologie pour me consacrer à quelque chose qui soit en accord avec mes convictions. Telle est ma décision. »

Aujourd'hui il étudie la psychologie. Il se livre également à l'étude d'autres branches des sciences humaines. Par ailleurs, il a épousé une jolie fille et sa nouvelle vie lui procure beaucoup de joie.

La Bible apporte à un prêtre la réponse à ses prières

Un de mes parents est prêtre dans une paroisse bien connue. Il y a quelque temps, il eut des difficultés avec certaines autorités ecclésiastiques et son évêque. Il pria donc dans l'espoir d'être guidé par la divine providence et d'obtenir des indications sur la manière de résoudre son problème.

Lors d'un repas il me dit : « Joe, tu fais des conférences sur la signification de la Bible. Je ne suis pas d'accord avec toutes tes théories, mais je les approuve dans la plupart des cas. Comment interprètes-tu le rêve que j'ai fait quatre ou cinq fois au cours des derniers mois ? Dans mon rêve je voyais un passage tiré des Proverbes : *Ne dévie ni à droite ni à gauche, écarte ton pied du mal* (Proverbes 4, 27). »

« Je suis convaincu, Tom, répondis-je, que tu connais la signification de ce proverbe aussi bien que moi. Il s'agit certainement de la réponse à la prière dans laquelle tu sollicitais le soutien de la providence. Il veut dire tout simplement que, dans la situation présente, tu ne dois absolument rien entreprendre, ni de manière objective (à droite) ni de manière subjective (à gauche). Tu n'as donc plus besoin de prier dans l'attente d'une réponse. Le *pied* est symbole d'entendement dans la langue imagée de la Bible et l'expression "écarte ton pied du mal" signifie que tu dois cesser de te faire du mauvais sang et de ruminer dans l'angoisse et le doute car le *mal* chez toi réside dans ta volonté de conférer du pouvoir à d'autres personnes ou à des circonstances extérieures au lieu de te laisser envahir par la puissance de Dieu. »

Il me demanda s'il devait rester sans rien dire et sans rien faire en attendant que Dieu règle le problème. « Oui, lui répondis-je, c'est exactement ce que je pense. Mais tu dois le penser aussi, sinon mon interprétation sera sans valeur. » Il me dit : « Si, si, je suis d'accord avec toi, ton interprétation est la bonne, je le sais. »

Environ un mois plus tard, l'évêque mourut et les instances cléricales élirent de nouveaux représentants avec lesquels il s'entendit parfaitement.

Tom m'appela en s'exclamant : « Joe, le rêve avait raison. Mais pourquoi la réponse est-elle venue dans un rêve ? »

En guise de réponse, je le renvoyai à un passage des Ecritures : *Dieu... veut lui parler dans un rêve* (Nombres 12, 6).

RÉSUMÉ

1. Depuis toujours, les hommes s'intéressent aux rêves. Tous les hommes et même les animaux rêvent. Les rêves décrispent les situations de tension et constituent souvent une réponse à nos prières.

2. Chaque école de psychologie interprète les rêves et leur contenu de manière particulière. Toutefois, il arrive fréquemment que l'on obtienne la solution d'un problème déstabilisant dans un rêve dont le contenu est sans équivoque car il n'est pas codé.

3. Un jeune garçon suggère à son subconscient ce qu'il désire et la manière dont il le désire. Il lui demande de lui fournir une réponse claire et compréhensible. Le subconscient, qui est réceptif aux suggestions, réagit en conformité avec la demande.

4. En règle générale, le subconscient se sert d'un code symbolique dans les rêves. Cependant vous pouvez chaque soir vous suggérer la chose suivante : « Mes rêves seront clairs et non codés. » La répétition tenace de cette suggestion conduira votre subconscient à s'adresser à vous par des images qui ne comportent aucun déguisement.

5. Notre esprit à tous fait partie intégrante d'un esprit unique dans lequel sont abolies les notions de temps et d'espace. C'est pourquoi il est possible que vous obteniez en rêve une réponse relative à une autre personne pour laquelle vous avez prié.

6. Un juge est préoccupé par une décision qu'il doit prendre dans le cadre d'une affaire. Il demande le soutien de la providence et obtient la réponse désirée en comprenant le langage symbolique de ses rêves.

7. Ceux qui sont sujets aux cauchemars parce qu'ils lisent des histoires de revenants ou des récits criminels ou encore parce qu'ils regardent des films de violence à la télévision peuvent remédier à cette situation en ayant recours à des suggestions constructives avant le coucher.

8. Les étudiants en théologie trouvent souvent en rêve la solution à leurs problèmes ou la réponse à leurs prières. Leurs rêves font référence à des versets bibliques ou à des personnages qui citent un extrait de la Bible.

9. Un prêtre qui ne sait **pas quel** comportement adopter fait plusieurs fois le même rêve. Il y voit une citation tirée des Proverbes qui lui conseille de n'osciller ni à droite ni à gauche, bref de rester passif et de ne rien entreprendre. En suivant le conseil biblique que son rêve lui a transmis, il s'aperçoit que celui-ci a parfaitement raison.

10. Les voies qu'emprunte notre subconscient sont indéchiffrables. Les livres saints nous rappellent la fonction de notre subconscient en affirmant que le Seigneur veut nous parler dans un rêve (Nombres 12, 6).

8

COMMENT SE FONDRE DANS L'INFINI
ET EXPLOITER LES POSSIBILITÉS
DE LA PERCEPTION SUPRASENSIBLE

Le but de ce livre est de vous aider à trouver dans votre univers mental et psychique les clés qui permettront de résoudre des problèmes humains. Comme je l'ai démontré, les réponses aux problèmes les plus complexes qui se posent à nous s'inscrivent toujours dans le champ du subconscient. A neuf ans, les fonctions essentielles de l'esprit humain commencèrent à revêtir pour moi un intérêt brûlant. Ce que nous appelons aujourd'hui des phénomènes intuitifs, des forces parapsychiques ou tout simplement psychiques suscitait mon étonnement car l'énergie déployée était capable de résoudre les problèmes de personnes que je connaissais. J'ai déjà fait allusion à ces différentes manifestations que la science range sous l'étiquette du paranormal.

Une vision extralucide l'aide
à retrouver son fils disparu

Un agriculteur irlandais – nous l'appellerons Jerry –
habitait à quelques centaines de mètres de notre domicile.
Lorsque j'étais enfant, il m'arrivait souvent d'aller le voir
dans les champs car j'aimais l'aider dans son travail. Un
jour, son jeune fils disparut subitement et Jerry, rongé par
le souci, menaçait de sombrer dans le désespoir. Il appela
ses voisins et partit avec eux à sa recherche car quelqu'un
avait entendu le jeune garçon affirmer qu'il voulait esca-
lader le Mount Kidd, une montagne située dans la partie
occidentale et désolée du comté de Cork où nous habitions
à l'époque. Les rabatteurs ne trouvèrent pas trace du garçon et revinrent bredouilles à la tombée de la nuit.
Durant la nuit, notre pauvre voisin Jerry fit un rêve sai-
sissant. Il reconnut dans ce rêve l'endroit où se trouvait son
fils : il le vit dormir dans les buissons à côté d'un rocher
particulier qui lui était familier. Dès qu'il fit jour, il se diri-
gea à dos d'âne vers la montagne qu'il avait aperçue en
rêve. Une fois sur place, il attacha son âne, escalada la dernière portion de terrain jusqu'au promontoire et trouva
effectivement son fils endormi dans les buissons. Fou de
bonheur et enfin soulagé, il réveilla le garçon qui fut certes
surpris de voir son père devant lui, mais dit : « J'ai prié
pour que tu me cherches et que tu me trouves. »
Cet agriculteur a utilisé comme des milliers d'autres
avant et après lui le pouvoir qui somnolait en lui et qui lui
permit de découvrir de manière extralucide la solution de
son problème. J'ajouterai que cet homme n'était jamais
allé à l'école et qu'il ne savait ni lire ni écrire. Il est bien
évident qu'il ne connaissait rien aux lois de l'esprit et
aux phénomènes parapsychiques. Les termes savants de
« télépathie », de « prémonition », ou de « précognition »
auraient été dépourvus de tout contenu significatif à ses
yeux.

105

Je me souviens de lui avoir demandé : « Comment as-tu su que ton fils se trouvait là-haut ? » Il me répondit : « Dieu me l'a dit en rêve. »

L'élucidation des faits est très simple à mon sens. Jerry avait pensé à son fils avant de s'endormir en se demandant où il pouvait bien être et avait vraisemblablement prié Dieu en toute humilité. Son subconscient lui avait révélé la réponse dans un rêve prémonitoire.

Comment exploiter vos facultés parapsychiques

Il arrive fréquemment que des personnes me disent avoir obtenu des indices ou des informations par un canal autre que celui des cinq sens. Elles avaient toujours prié pour recevoir une réponse et s'étaient concentrées en ce sens. Et tout à coup, par l'intermédiaire de rêves, de visions nocturnes ou d'une intuition, elles connaissaient la nature de la réponse.

Il y a quelques années, une femme se rendit en compagnie de son mari et de plusieurs amis à l'hippodrome d'Agua Caliente. A cette époque, elle ne s'intéressait aucunement aux phénomènes paranormaux, en d'autres termes, à l'influence des mécanismes psychiques. La veille au soir, elle s'était mise à penser aux courses en se demandant comment jouer. Elle n'avait jamais assisté à une course hippique, ne connaissait rien au monde des chevaux et des jockeys et n'avait aucune idée sur la manière de parier. Elle se dit donc avant de s'endormir : « J'espère jouer à bon escient et miser sur le vainqueur. Je ne jouerai pas plus de quatre dollars, deux dans chacune des deux courses. »

Cette femme est dotée d'une sensibilité particulière, selon ses amis que je connais bien. En effet, elle fait souvent des rêves prémonitoires. Cette nuit-là elle vit le nom des deux vainqueurs : Robby's Choice et Billy's Friend.

Elle sentit intuitivement que ces deux chevaux allaient remporter la course.

Le lendemain, en arrivant à l'hippodrome, elle se fit expliquer par son mari le déroulement des paris. Elle misa sur les deux chevaux en question qui rapportèrent tous deux une quote de vingt contre un.

Son subconscient qui est la source de cette perception extralucide avait réagi à sa concentration de la veille. Sans faire d'efforts démesurés, presque par distraction, elle avait pensé aux vainqueurs de la course de chevaux et cette idée s'était enracinée dans son subconscient. Celui-ci avait agi en conséquence en lui citant les deux vainqueurs.

Comment fonctionnent
les perceptions extra-sensorielles

Le professeur J.B. Rhine de l'université Duke de Durham est l'un des pionniers de l'exploration des phénomènes extra-lucides. Ce professeur aujourd'hui disparu publia de nombreux ouvrages sur la question et organisa dans de nombreux pays des cycles de conférences qui furent également tenues en présence de scientifiques extrêmement sceptiques. Il rassembla une masse d'informations très documentées et dignes de foi concernant la fonction de la perception extra-sensorielle et les phénomènes auxquels elle a donné lieu. Il s'intéressa plus particulièrement à la voyance, cette possibilité de percevoir en toute clarté et sans l'intervention des cinq sens des événements qui se déroulent ailleurs dans l'espace.

Le professeur Rhine se consacra aussi à la précognition (vision ou connaissance d'événements futurs), à la télépathie (transmission de pensée) et à la rétrocognition (connaissance du passé de manière extra-lucide). Il est très intéressant de s'informer sur le mode de fonctionnement des laboratoires scientifiques qui, en Amérique, en Europe ou en Inde, utilisent un matériel technique sophistiqué lors de leurs investigations, et de compulser les études qui ont été menées à bien ces dernières années, études dont les conclusions démontrent que la capacité de percevoir la réalité de manière suprasensible est détenue par chacun de nous, mais qu'elle est assujettie à certains impératifs liés aux fonctions cérébrales.

J'aimerais illustrer le fonctionnement de cette perception suprasensible au moyen de deux exemples.

Un jour, alors que je jouai dans le jardin de notre maison avec mon frère et mes trois sœurs, Elisabeth, la plus jeune de mes sœurs qui avait environ cinq ans à l'époque, dit tout à coup qu'elle voyait un enterrement et que Grand-Mère était morte. Elle cita le nom du prêtre qui marchait en tête du cortège et ajouta que nos parents circulaient dans une charrette située derrière le cercueil. Nous nous moquâmes d'elle et notre mère la gronda parce qu'il était inconvenant de dire que Grand-Mère était morte alors que nous savions tous pertinemment qu'elle allait bien. Notre grand-mère habitait à une vingtaine de kilomètres de chez nous. A cette époque, il n'y avait dans cette partie excentrée de l'Irlande ni téléphone ni télégraphe. Les nouvelles étaient transmises par des messagers à pied, à cheval ou à dos d'âne.

Vers le soir arriva un membre de la famille qui annonça le décès de Grand-Mère et pria mes parents de bien vouloir participer à l'inhumation et à la veillée funèbre. D'après le messager, Grand-Mère était décédée à 14 heures, ce qui correspondait au moment où ma sœur Elisabeth avait vu le cortège funèbre.

Ce type de perception extra-sensorielle est appelé « précognition ». En effet ma sœur avait vu quelque chose qui n'eut lieu que deux jours plus tard. Le prêtre qu'elle avait cité célébra l'enterrement. Tout fut conforme à la vision décrite. Mais du fait que l'on critiqua et tourna en dérision cette faculté d'intuition, ma sœur réprima ce don tant et si bien que sa capacité à percevoir la réalité de manière extra-sensorielle finit par se détériorer.

L'épisode du célèbre Emmanuel Swedenborg qui fut expertisé et déclaré authentique par le non moins célèbre Emmanuel Kant, constitue un cas classique de voyance. Tandis que Swedenborg discutait avec un groupe de savants, il eut subitement une vision prémonitoire. Il perçut clairement l'origine et le déroulement d'un incendie dans la ville de Stockholm, située à quatre cents kilomètres de là, et décrivit aussi la manière dont fut éteint le sinistre. Quelques jours plus tard un envoyé de Stockholm arriva et confirma la vision dans tous ses détails. Cette anecdote démontre que l'homme possède des forces susceptibles de transcender le temps et l'espace.

Une vision la ramène vers son mari

Lors de l'un de mes derniers voyages en avion à San Francisco, une jeune femme était assise à côté de moi. Elle avait l'air agitée et éprouvée. Au bout d'un moment, elle me proposa un journal et je ressentis alors l'envie irrésistible de lui demander si elle avait quitté son mari. Elle sursauta d'un air stupéfait en soupirant : « Oui, comment vous est venue cette idée ? »

Je répondis : « Une intuition. »

« Vous êtes une de ces personnes qui possèdent le don de double vue », me dit-elle.

« Non, pas vraiment, lui expliquai-je. Mais il arrive que mon subconscient fasse subitement remonter à la surface la réponse que je cherche ou me dévoile spontanément quelque chose de particulier. Je crois que cela arrive à toute personne qui se met en accord avec les lois de l'esprit et les met en pratique. Celui qui agit ainsi est conscient de l'infinie présence de Dieu en tout homme. »

« Je comprends », dit-elle. Après une brève hésitation elle poursuivit : « J'ai quitté mon mari ce matin. J'ai envie de partir en Australie avec un autre homme qui habite San Francisco. Nous partirons dès qu'il aura divorcé. Mais je ne sais pas si j'agis dans le bon sens. Je suis écartelée entre deux sentiments. »

Je me sentis obligé de la conseiller. Je lui expliquai qu'en fait elle cherchait l'homme idéal capable de l'estimer, de veiller sur elle et de partager avec elle un amour réciproque. « Vous voulez un mari avec lequel vous pourrez vivre en totale harmonie sur le plan intellectuel et affectif, bref à tous points de vue. En ce moment vous êtes désorientée et vous en voulez à votre mari actuel. Il ne me semble pas opportun de prendre une décision lorsqu'on se trouve dans un état d'esprit aussi négatif. »

Je lui écrivis une prière en lui recommandant de la réciter régulièrement et d'être attentive aux signes que la providence ne manquerait pas de lui envoyer dans les prochains jours. En outre je lui conseillai de ne pas se lier définitivement à l'homme qui était en instance de divorce, mais d'attendre simplement que sa voix intérieure se manifeste.

Le contenu de cette prière était le suivant : « Je sais qu'il existe dans la vie un principe qui permet d'agir de manière équitable. Je sais que ce principe de vie essaie de s'exprimer à travers moi de manière harmonieuse, paisible et sereine. Je demande qu'il en soit ainsi, convaincue que la sagesse absolue qui domine le cosmos et oriente les planètes sur leur orbite me répondra et me guidera pour que je prenne la décision appropriée. Que cette pensée et cette requête s'enracinent dans les profondeurs de mon esprit qui est le siège de la sagesse absolue. Quant à moi, je suivrai les indications qui franchiront le seuil de ma conscience sans comporter la moindre ambiguïté. »

Elle récita la prière plusieurs fois par jour et de préférence avant de se coucher. La troisième nuit, elle eut une vision qui la sidéra. Son frère défunt lui apparut dans un rêve pour la mettre en garde et lui dire de ne pas épouser l'homme de San Francisco car celui-ci voulait simplement abuser d'elle. Il ne s'intéressait qu'à son argent et finirait par la laisser tomber. Le frère lui dit aussi : « Retourne vers ton mari. » Puis il disparut.

Ainsi fonctionne la perception extralucide. Les facultés mentales et psychiques de cette femme purent « déchiffrer » les véritables motivations de l'homme en question et lui permirent de savoir qu'il était malhonnête. Elle avait la réponse à ses questions. En d'autres termes, le subconscient de cette femme avait mis en scène la réponse sous la forme d'une apparition car il savait pertinemment qu'elle serait sensible à un timbre de voix comme celui de son frère.

Le lendemain, elle m'appela à mon hôtel pour me dire d'un air heureux : « J'ai eu la réponse. Je retourne vivre avec mon mari. » J'appris plus tard qu'ils s'étaient réconciliés dans les meilleures conditions du monde.

On ne sait jamais de quelle manière les prières sont entendues et exaucées, mais les voies impénétrables du subconscient mènent droit au but.

Les phénomènes parapsychiques : une contribution possible au traitement des maladies psychiatriques

Dans le livre écrit conjointement par le docteur R. Connell et Geraldine Cummins (*Healing the Mind*, The Aquarian Press, London, 1957), est décrite l'utilisation de la perception extra-sensorielle lors du dépistage et du traitement de diverses maladies psychiatriques.

Avec l'aide de Geraldine Cummins, une Irlandaise qui est l'un des médiums les plus fiables de notre époque, le docteur Connell traita avec succès une série de cas apparemment « désespérés ». Le docteur Connell, qui jouit d'un grand prestige comme clinicien, demanda à Geraldine Cummins de se livrer à des tests graphologiques pour cerner le psychisme de ses patients. J'extrais le compte rendu qui suit avec l'aimable autorisation des auteurs :

« La patiente avait une personnalité douce et plutôt timide ; elle était de constitution assez faible et donnait une impression de fatigue. Comme on n'avait pas constaté de maladie organique, son dossier nous fut transmis et on nous demanda de bien vouloir procéder à un traitement psychothérapeutique. »

Il arriva de Londres le rapport suivant concernant l'examen de son écriture :

« L'auteur de la lettre est une nature sensible et nerveuse. Elle est issue d'un milieu aisé et certains de ses ancêtres possédaient des qualités indéniables. Mais deux ou trois d'entre eux ont eu une vie difficile ; ce qui provoqua une fatigabilité extrême dans toute la famille et la constitution d'un système nerveux hypersensible au niveau de cette génération.

« Une certaine tendance à l'angoisse est perceptible et d'autres peurs résident à l'état latent dans le subconscient de cette femme. Elle a hérité de ses ascendants distingués une certaine timidité, ce qui est imputable au fait que certains de ses ancêtres menaient une vie assez isolée à la campagne. La raison profonde de la peur que cette dame éprouve dans les endroits exigus remonte cependant à environ deux cents ans. L'un de ses ancêtres, vraisemblablement par la branche maternelle, possédait une maison et un domaine à la campagne. Cet homme devait posséder quelques titres de noblesse et, lorsque des troubles éclatèrent dans la région, il semble qu'une horde d'individus en révolte, des fermiers ou des montagnards, se soient introduits de nuit dans sa maison et l'aient incendiée. La femme du propriétaire, qui était enceinte de plusieurs mois, put échapper à l'incendie d'extrême justesse. En effet elle se trouvait dans une petite pièce où elle fut réveillée par l'odeur de fumée et les hurlements des hommes. Epouvantée, elle vit les volutes de fumée pénétrer dans la chambre. Elle se leva pour tenter d'atteindre la porte. En suffoquant à travers les nappes de fumée, elle se faufila jusqu'à la porte avant de perdre connaissance et de s'effondrer. Son mari risqua sa vie pour la sortir de la maison et au bout d'un moment, elle reprit ses esprits grâce à l'air frais de la nuit. Le fait d'avoir été exposée à ce froid glacial provoqua une pneumonie. Durant son délire, elle revit la pièce se remplir de fumée. Sa fièvre lui faisait revivre les frayeurs qu'elle avait endurées pendant ces terribles minutes. Elle se remit lentement et guérit. Cependant la peur de rester enfermée dans un endroit exigu avait été transmise à l'enfant qu'elle attendait durant sa maladie.

« Son expérience de l'incendie devint un élément constitutif du vécu familial. Même si les descendants de la pauvre femme n'avaient plus la moindre conscience de l'incendie qui avait été perpétré dans cette contrée rurale, il n'en demeure pas moins vrai que celui-ci restait gravé dans leur inconscient sous la forme d'un souvenir particulièrement marquant. Certains membres de la famille ne furent pas concernés, d'autres, moins robustes, développèrent une fragilité inhérente à la nervosité de leur nature.

« Physiquement, la patiente dont l'écriture est en cours d'examen me semble assez diminuée. Elle devrait s'oxygéner, faire des exercices physiques régulièrement et chercher un passe-temps ou des centres d'intérêt qui soient une source de dépense physique.

« Comme l'incident mentionné s'est déroulé il y a fort longtemps et que le souvenir du traumatisme n'a pas été réactivé par un choc similaire, l'affection n'a qu'un caractère superficiel peu susceptible d'évoluer défavorablement. La malade devrait réciter à voix haute le soir avant de s'endormir : "Mon esprit domine mon corps. Rien ne peut m'effrayer. Je me sens calme et heureuse dans les pièces exiguës ou dans les endroits étroits."

« La raison profonde de sa peur – le choc subi par son aïeule enceinte – n'aura pas d'influence sur la patiente si elle se trouve en forme, physiquement, et si elle se consacre à une activité captivante qui la satisfasse sur le plan mental et psychique.

« Apprenez-lui à avoir confiance en elle. Elle est trop timide et met trop en doute ses propres ressources. Incitez-la à s'affirmer et à croire en elle car elle dispose de qualités innées et d'une intelligence supérieure à la moyenne. Pourtant ce manque de confiance en soi est pour elle un véritable handicap.

« Ne lui parlez pas d'une instabilité au niveau du patrimoine génétique qui pourrait entraver la guérison. Ne lui dites pas non plus que son médecin traitant devra la surveiller et rester prudent pour éviter l'apparition de nouveaux symptômes nerveux. D'ailleurs le défaut congénital de la patiente doit pouvoir être surmonté si elle suit fidèlement ces indications. »

Le phénomène des voix

Une amie médecin me raconta un jour que, lorsqu'elle doit prendre une décision médicale importante, elle entend inévitablement et distinctement une voix intérieure à laquelle elle obéit de manière inconditionnelle. Il s'agit d'une voix provenant du subconscient qu'elle perçoit très clairement lorsqu'elle se trouve à son cabinet ou en compagnie de ses amis. Personne d'autre qu'elle n'entend la voix. Celle-ci remonte donc des profondeurs de son subconscient et se trouve être la réaction produite par sa volonté profonde et tenace de faire appel aux voix de la providence. Cette voix intérieure répond par oui ou par non selon qu'elle approuve ou désapprouve les options choisies. Selon ce docteur, elle a toujours raison.

Comme cette femme s'est convaincue depuis longtemps que Dieu la guide dans toutes ses entreprises, elle s'en remet désormais de manière automatique à son subconscient quand elle a besoin d'une réponse.

L'histoire porte témoignage de cas célèbres qui disent avoir entendu des voix. Socrate par exemple confessait publiquement qu'il était guidé par son « démon », sorte de voix intérieure tyrannique qu'il écoutait d'un air soumis. Cette voix intérieure lui signalait ce qu'il ne devait pas faire et son silence passait pour un assentiment tacite. Platon nous apprend que le « démon » ou la voix intuitive de Socrate est le vecteur d'une connaissance spécifique qui dépasse le savoir ordinaire acquis par les cinq sens.

Jeanne d'Arc, la Pucelle d'Orléans, constitue une autre illustration tout aussi saisissante de cette capacité à entendre des voix. La tradition historique rapporte que la jeune fille avait coutume d'écouter ces messages intérieurs, autrement dit, les voix de son subconscient. Des historiens de renom ont analysé au cours des siècles ses faits d'armes étonnants. Nombreux sont les parapsychologues et les scientifiques qui sont arrivés à la conclusion qu'elle avait le don de voyance. Jeanne en fit la démonstration toute petite à Domrémy, de la manière la plus convaincante qui fût. Elle affirma devant témoins qu'une épée était ensevelie derrière l'autel de l'église Sainte-Catherine à Fierbois. Elle n'avait jamais vu l'église en question. Quelqu'un creusa près de l'autel et trouva l'épée comme elle l'avait annoncé.

Il retrouve une quittance perdue

Il y a quelque temps, un homme m'appela de la Nouvelle-Orléans. Il était absolument sûr que sa femme avait payé deux mille cinq cents dollars en liquide pour l'achat d'une montre en platine qu'elle lui avait offerte avant de mourir, pour leurs noces d'or, car elle lui avait montré la quittance. Pourtant le bijoutier insistait pour se faire payer. Bien que cet homme se justifiât en disant que sa femme avait déjà payé et obtenu une quittance en échange, le bijoutier ne lâchait pas prise. Il affirmait que le veuf lui était redevable de la somme, indiquant sans arrêt ses livres de comptes à titre de preuve.

Le veuf avait cherché dans toute la maison, mais n'avait pu mettre la main sur la quittance. Il me demanda si je pouvais l'aider : « J'ai lu votre livre *La Puissance de votre subconscient.* Vous y décrivez le cas d'une personne qui retrouve un testament en se laissant guider par son subconscient. »

Je lui promis de prier afin que la réponse lui fût communiquée. En plus je lui recommandai de proclamer avec conviction que la sagesse infinie et omnisciente savait où se trouvait la quittance et qu'elle le lui dirait selon la loi de la divine providence.

Une semaine s'était à peine écoulée qu'il m'écrivit pour me dire qu'un homme lui était apparu la nuit en rêve. Il avait l'allure d'un vieux sage et l'avait renvoyé à un passage précis du Livre d'Isaïe. Il s'était réveillé aussitôt, s'était précipité dans sa bibliothèque pour ouvrir la Bible à la page indiquée dans le rêve et y avait trouvé la quittance. Son subconscient lui avait fourni la réponse sans passer par les facultés de l'esprit conscient.

Comment cultiver avec profit la perception suprasensible

Vous connaissez le dicton qui affirme que la nuit porte conseil. C'est en effet une sage résolution car si votre conscience est au repos et si vous concentrez votre attention sur la solution que vous cherchez, la sagesse infinie qui irrigue votre subconscient réagira et résoudra votre problème.

Si vous avez perdu quelque chose que vous cherchez partout sans le retrouver, cessez de vous tourmenter ou de vous agiter. Détendez-vous et formulez la requête suivante à votre subconscient : « La sagesse infinie dont mon subconscient est le siège est au courant de tout. Elle sait où se trouve cette chose et elle me le montrera clairement. Elle m'y conduira et je suivrai les indications de la providence. Je fais pleinement confiance à la sagesse infinie. Je me détends et reste calme. »

Si vous êtes détendu et si, pour vous décontracter, vous vous occupez l'esprit avec autre chose, les facultés suprasensibles de votre subconscient vous conduiront à l'objet perdu. Vous le verrez en rêve ou vous y serez conduit directement.

Il est écrit : ... *Quand Lui comble son bien-aimé qui dort* (Psaume 127, 2). La sagesse populaire ne nous dit-elle pas aussi que parfois l'on « dort du sommeil du juste » ? Quel héritage ces sentences ne nous lèguent-elles pas !

RÉSUMÉ

1. Nous possédons tous la faculté de percevoir la réalité de manière extra-lucide, mais, pour beaucoup d'entre nous, celle-ci est bloquée dans son développement ou refoulée.

2. Nombreux sont ceux qui obtiennent de manière extrasensorielle des informations ou des connaissances particulières auxquelles ils ne pourraient accéder par le truchement de leurs cinq sens.

3. Le professeur J.B. Rhine de l'université Duke dans le Durham aux Etats-Unis a réuni une masse énorme de documents relatifs à la télépathie et à la voyance, à la précognition et à la rétrocognition. Il a démontré dans le cadre de tests de laboratoire strictement contrôlés l'existence de pouvoirs paranormaux chez l'homme.

4. Les facultés paranormales permettent à de jeunes enfants de voir un cortège funèbre dans tous ses détails avant même que l'inhumation ait lieu. Il peut s'agir d'une transmission de pensée de la part d'un être cher à l'enfant ou de l'utilisation par l'enfant de ses dispositions naturelles à la prémonition.

5. Emmanuel Swedenborg eut la vision prémonitoire d'un brasier qui dévasta la ville de Stockholm tandis qu'il se trouvait à quatre cents kilomètres de là, à Göteborg, en train de discourir avec un groupe de savants.

6. Votre sensibilité extra-sensorielle vous permet de percevoir intuitivement les difficultés ressenties par un individu. Cela vous rend capable d'aider cette personne et de prendre une décision qui débouche sur une action positive.

7. Une Irlandaise douée de pouvoirs médiumniques collabore avec un médecin qui lui soumet les lettres de ses patients. Grâce à son hypersensibilité métapsychique elle peut, en entrant en contact avec les lettres, définir les complexes et les angoisses qui se cachent derrière les perturbations mentales des patients.

8. De nombreuses personnes ont su développer en elles la capacité d'entendre des voix. Elles perçoivent une voix intérieure qui cautionne ou désapprouve leur décision. Cette voix puise sa source dans la sagesse suprême qui habite chacun de nous et agit toujours pour notre bien.

9. Vos facultés parapsychiques sont en mesure de localiser l'endroit où se trouve un objet disparu. La réponse peut vous parvenir dans un rêve : vous visualiserez l'objet et son emplacement, à moins qu'une voix ne vous souffle à l'oreille de vous rendre à un endroit précis ou de faire quelque chose de particulier pour retrouver ce que vous cherchez.

10. Vous pouvez développer votre potentiel parapsychique et devenir chaque jour plus sage en projetant dans votre subconscient, siège et source de ce potentiel, l'image de vos désirs.

9

SE DOMINER
POUR MIEUX FÉCONDER SON ESPRIT

Dans l'Evangile selon saint Marc, chapitre 11, verset 23, on peut lire le passage suivant : *En vérité je vous le dis, si quelqu'un dit à cette montagne : « Soulève-toi et jette-toi dans la mer », et s'il n'hésite pas dans son cœur, mais croit que ce qu'il dit va arriver, cela lui sera accordé.*

Ces paroles renferment un postulat : vous êtes les détenteurs d'une force infinie qui peut vous conduire vers une vie de perfection. La montagne dans la Bible est synonyme de difficultés, de défis et de problèmes divers auxquels vous êtes confronté. Peut-être vous semblent-ils insurmontables. Mais si vous croyez aux vertus de la force infinie et si vous ne la mettez pas en doute au plus profond de votre cœur, vous réciterez avec ferveur la prière qui suit et vous pourrez dompter les difficultés :

« Que les difficultés s'aplanissent ! Grâce à la force infinie, je sortirai vainqueur de l'épreuve. Dieu m'apportera son soutien dans la résolution de ce problème. Je l'affronterai courageusement car je sais que je suis animé par toute la volonté et la sagesse nécessaires. Je crois sans réserve que Dieu connaît la réponse et que nous agissons de concert. Il me guidera vers une issue, vers un dénouement heureux. Dans mon cheminement intérieur je suis conscient que la montagne va s'évanouir de la surface du monde et se dissoudre dans la lumière de l'amour divin. J'en suis certain, je l'accepte pleinement. Qu'il en soit ainsi. »

Une jeune femme découragée
donne un nouveau sens à sa vie

Il y a quelques années, alors que je tenais un séminaire à Honolulu, une Japonaise vint me voir. Elle était très dépressive et souffrait de neurasthénie. Elle n'avait que trente ans et pourtant elle avait déjà subi une série de graves opérations dont l'ablation d'un sein et de l'utérus. Elle se lamentait : « Je ne suis plus une femme. Je ne peux plus avoir d'enfant. Aucun homme ne m'aimera. »

Je lui répondis qu'elle était une enfant de Dieu et qu'il avait besoin d'elle là où elle se trouvait, sinon elle n'y serait pas. Je lui expliquai qu'au cours de la vie des revers et des difficultés rongent notre esprit, que chacun d'entre nous est la proie d'épreuves et de problèmes divers, mais que nous sommes les héritiers d'une énergie immense qui nous permet de transcender le découragement et le désespoir et que, justement, le fait de maîtriser une situation compliquée est source de joie.

Il fallait qu'elle surmontât au plus vite sa morosité en canalisant son énergie et ses compétences vers des buts altruistes. Elle pourrait ainsi se libérer de son apitoiement sur elle-même et de son sentiment de culpabilité qui accentuaient son désespoir. Elle apprendrait à se dominer et à maîtriser sa destinée. Comme elle était infirmière, je lui conseillai de reprendre son métier et de se mettre au service des malades. Ainsi pourrait-elle communiquer aux patients dont elle aurait la charge l'amour de Dieu qui est l'agent de la guérison. Ainsi pourrait-elle leur transmettre une parcelle de son moi divin. Je lui indiquai que les personnes égocentriques sont rarement heureuses du fait qu'elles sont centrées sur elles-mêmes et que le secret d'une vie riche réside dans le fait de partager avec d'autres la joie, le bonheur et tout ce qui fait la qualité de la vie.

Je lui recommandai aussi de lire plusieurs fois par jour à voix haute le Psaume 42 et de goûter le texte comme s'il s'agissait d'un mets délicat. Je ne voulais pas dire qu'elle devait « mastiquer » les mots du texte et rabâcher de vides affirmations. Je souhaitais au contraire qu'elle sentît toutes les sublimes vérités contenues dans ce psaume et qu'elle fût capable de faire émerger en elle un profond sentiment d'union mystique pour que, dynamisés par cette sensation d'absolu, son corps et son esprit subissent une métamorphose.

Elle suivit mes recommandations et reprit son activité d'infirmière. Elle dégageait une aura d'amour et de gentillesse en présence des malades ; elle leur redonnait le moral et leur parlait de la toute-puissance de Dieu qui ranime la vie. En agissant ainsi, elle ranima aussi leur foi. Elle m'écrivit plus tard qu'en l'espace de deux ans aucun des patients qu'on lui avait confiés ne mourut. Elle prie constamment pour que Dieu, qui est source de vie, qui est puissance et amour, se manifeste dans le cœur de chacun d'eux. De telles méditations sont l'étincelle qui suscite la présence de Dieu, une présence symbole d'harmonie, de paix, de joie de vivre et d'amour.

A Noël j'eus la joie de célébrer l'union de cette infirmière avec le médecin qui l'avait opérée. A l'issue de la cérémonie le jeune marié me souffla à l'oreille : « C'est plus qu'une infirmière. C'est un ange, l'ange de la grâce. » On sentait qu'il était sensible à son rayonnement intérieur, à la beauté de son âme. R.W. Emerson écrivit un jour que le plus beau cadeau que l'on puisse faire, c'est une partie de soi-même.

Le psaume que voici a aidé cette jeune femme à trouver en elle-même le don que Dieu lui a fait :

Comme languit une biche
après les eaux vives,
ainsi languit mon âme
vers toi, mon Dieu.

Mon âme a soif de Dieu
du Dieu vivant ;
quand irai-je et verrai-je
la face de Dieu ?

Mes larmes, c'est là mon pain,
le jour, la nuit,
moi qui tout le jour entends dire :
Où est-il, mon Dieu ?

Oui, je me souviens, et mon âme
sur moi s'épanche,
je m'avançais sous le toit du Très-Haut,
vers la maison de Dieu,
parmi les cris de joie, l'action de grâces,
la rumeur de la fête.

Qu'as-tu, mon âme, à défaillir
et à gémir sur moi ?
Espère en Dieu : à nouveau je lui rendrai grâce,
le salut de ma face et mon Dieu.

Mon âme est sur moi défaillante,
alors je me souviens de toi :
depuis la terre du Jourdain et des Hermons,
de toi, humble montagne.

L'abîme appelant l'abîme
au bruit de tes écluses
la masse de tes flots et de tes vagues
a passé sur moi.

Le jour, Yahvé mande sa grâce
et même pendant la nuit

le chant qu'elle m'inspire est une prière
à mon Dieu vivant.

Je dirai à Dieu mon Rocher :
pourquoi m'oublies-tu ?
pourquoi m'en aller en deuil,
accablé par l'ennemi ?

Touché à mort dans mes os,
mes adversaires m'insultent
en me redisant tout le jour :
Où est-il, ton Dieu ?

Qu'as-tu, mon âme à défaillir
et à gémir sur moi ?
Espère en Dieu : à nouveau je lui rendrai grâce,
le salut de ma face et mon Dieu !

(Psaume 42)

Un couple se réconcilie

Il y a un certain temps de cela, j'eus l'occasion de discuter avec une femme qui était hospitalisée depuis deux mois à la suite d'une dépression nerveuse et d'un ulcère. Son affection était pourtant d'ordre psychosomatique. Elle déplorait le comportement incohérent de son mari. Il lui donnait quarante dollars par semaine pour s'occuper des tâches ménagères et subvenir aux besoins des quatre enfants, et pensait qu'elle dilapidait cet argent. Il ne l'autorisait pas à aller à l'église car selon lui toutes les religions sont de « l'hypocrisie à l'état pur ». Elle aimait faire de la musique, mais il ne supportait pas d'avoir un piano à la maison.

Elle se soumettait à ses idées morbides et incohérentes et refoulait ses propres désirs, ses talents et ses qualités naturelles. Elle en voulait à son mari du plus profond d'elle-même et cette déception sourde, cette colère rentrée étaient, à force d'être intériorisées, l'origine de sa dépression et de son ulcère. Son mari avait saboté tous les sentiments d'affection qu'elle ressentait à son égard car ses réactions égoïstes et triviales étaient une entrave permanente à son épanouissement et à son sens moral.

J'expliquai à cette femme de qualité que le mariage n'est pas un passe-droit qui permet de tyranniser et d'intimider son partenaire en étouffant ses aspirations. Au sein d'un couple doivent régner l'amour réciproque, la liberté et le respect mutuel. Aucun des deux conjoints ne doit accepter d'être timide, dépendant, angoissé, soumis. En fait, cette femme avait la psychologie d'une personne immature. Sa personnalité avait besoin de s'affirmer : elle ne devait plus rester sous l'éteignoir. Peut-être aurait-elle eu également intérêt à voir les bons côtés de son mari.

J'eus une discussion avec elle et son mari et je leur recommandai de cesser de s'entre-déchirer à propos de leurs faiblesses et de leurs insuffisances respectives, mais d'essayer au contraire de retrouver dans l'autre toutes les qualités attirantes, tout le charme qu'il possédait au moment du mariage. Le mari réalisa rapidement que son attitude obtuse était source de nombreuses erreurs et que la rancune, la haine refoulée de sa femme étaient la cause de ses dépressions et de son hospitalisation. Ils établirent un programme de vie selon lequel la femme put s'adonner librement à ses dispositions musicales et à ses aspirations sociales et, conscients de ce respect mutuel, de cette confiance réciproque, ils ouvrirent un compte-chèque commun.

Je rédigeai une prière spécifique à chacun d'eux. Celle de l'homme était la suivante : « Je cesse dès maintenant d'étouffer la personnalité de mon épouse. Elle ne doit pas être un double de moi-même. Ses qualités et sa sensibilité doivent donc s'épanouir librement. Qu'elle se sente enveloppée d'un sentiment d'amour, de paix et de tendresse ! Je prie de toute mon âme pour qu'une sagesse infinie l'accompagne dans tous les instants de sa vie et que l'amour de Dieu illumine son corps et son esprit à tout moment. La paix du Seigneur se propage dans son âme. Je loue Dieu à travers elle. Je souhaite qu'elle soit heureuse et en bonne santé et qu'elle se réalise sous l'égide du Tout-Puissant. Je sais que mes pensées sont synonymes de prière et qu'elles se concrétiseront dans la vie de tous les jours. Je sais par ailleurs que la prière est une habitude saine pour l'esprit et que si je persévère dans cette voie je deviendrai un mari généreux, aimant et compréhensif. Toutes les fois que je penserai à ma femme je proclamerai à l'intérieur de moi-même : Dieu l'aime et veille sur elle. »

Sa femme récita régulièrement la prière suivante : « En l'épousant, je vis des qualités merveilleuses dans mon mari. Ces qualités sont encore présentes et à partir de maintenant je serai consciente de sa valeur et non de ses défauts. Je sais, je sens et j'affirme qu'une sagesse infinie l'accompagne dans ses faits et gestes et qu'elle le guide. Je loue Dieu en lui, régulièrement et de manière systématique. L'ordre et la justice de Dieu déterminent son action. La paix de Dieu remplit son âme. L'amour de Dieu s'incarne dans ses pensées, ses paroles et ses actes. Il irrigue notre vie et celle de nos enfants. Dieu l'aime et prend soin de lui. Sa personnalité grandit et s'épanouit à l'ombre du Tout-Puissant. Il est inspiré par Lui. Je sais que toutes ces pensées, répétées régulièrement et systématiquement, trouveront le chemin de mon subconscient et que les graines ainsi semées vont germer pour laisser éclore une réalité conforme à mes espérances. Toutes les fois que mon mari occupera mes pensées je dirai en moi-même : "Le Dieu qui est en moi rend hommage à la parcelle de divinité qui est en toi." »

Les deux conjoints s'en tinrent à leur accord et prièrent régulièrement, conscients du fait que la foi est un premier pas vers la réalisation de son objet.

Au bout d'un mois le couple me téléphona. La femme me dit : « Les vérités que vous m'avez assignées sont ancrées dans mon cœur. » Son mari ajouta : « Désormais je suis maître de mes pensées, de mes sentiments et de mes réactions. Il en est de même pour ma femme. La maîtrise de soi est devenue une réalité dans notre vie à tous les deux. » Ce couple a découvert que la force infinie est en nous-mêmes et qu'elle est susceptible d'engendrer une vie de perfection.

Un jeune homme déprimé apprend à se respecter et à être estimé

Plein d'amertume, un jeune homme vint me voir en se plaignant d'avoir une vie sociale très pauvre et d'être exploité par son employeur qui ne lui concédait aucun avancement. Il invitait souvent des gens chez lui, mais lui, en revanche, n'était jamais reçu à l'extérieur chez des collègues ou d'autres personnes. Il éprouvait au fond de lui-même un profond ressentiment à l'égard de ses semblables.

En discutant de son éducation et de l'environnement socio-culturel dans lequel cet homme cultivé avait baigné durant son enfance, il s'avéra que son père était un puritain originaire de la Nouvelle-Angleterre et que sa mère était morte à sa naissance. Son père, qui se comportait comme un véritable despote, ne cessait de lui répéter : « Tu n'es bon à rien. Tu n'arriveras à rien. Tu es bête. Pourquoi n'es-tu pas aussi intelligent que ton frère ? »

Je compris que ce jeune homme détestait profondément son père. Un complexe d'infériorité avait altéré son développement tant et si bien qu'il était constamment tenaillé par un sentiment d'exclusion. Il ressentait inconsciemment cette sensation de rejet et se croyait sans valeur aux yeux des autres. Ce traumatisme psychique le rendait hypersensible et détériorait sa relation à autrui. Il vivait perpétuellement dans l'attente et dans l'angoisse de ce rejet de la part de la société. Le syndrome se manifestait sous des apparences diverses, tantôt sous la forme d'un reproche poli, tantôt sous la forme d'une brimade offensante.

Je lui fis comprendre qu'à mon avis il redoutait en permanence des reproches ou des offenses parce qu'il reportait sur les autres la haine qu'il vouait à son père. Ce mécanisme de transfert provenait de son désir secret d'être une victime consentante, d'être mis sur la touche, marginalisé, d'être blessé par les réactions et les paroles de tout un chacun en dépit même de l'intérêt qui pouvait résider dans telle ou telle relation. Je mis en relief les principes qui régissent l'esprit en lui donnant à lire mon ouvrage sur *Les Lois de la pensée*. Puis j'élaborai un plan pratique en cinq phases pour l'aider à surmonter son complexe et faire en sorte qu'il parvînt à contrôler son mode de vie.

La première étape pour résoudre un problème de cette nature réside dans la prise de conscience suivante : toutes les expériences antérieures, aussi douloureuses fussent-elles, doivent être annihilées en ancrant dans le subconscient des vérités éternelles et des modèles de pensée dynamisants. Du fait que le subconscient est réceptif aux suggestions et contrôlé par la conscience, c'est-à-dire par ce à quoi nous pensons, ce à quoi nous croyons, les schémas négatifs, les complexes, les angoisses et les sentiments d'infériorité peuvent être anéantis. Les schémas de pensée suivants sont à même de stimuler la personnalité ; ils me semblent appropriés pour résoudre un tel problème.

« J'accepte les postulats suivants. Je suis un enfant du Dieu vivant. Dieu s'incarne en moi et Il est l'essence de ma personne. A partir de maintenant, Il sera l'objet de mon amour. L'amour à l'égard de Dieu est synonyme de respect, de fidélité et de loyauté envers la seule présence et la seule puissance qui soit au monde. A partir de maintenant, je respecte le sentiment divin qui me servira de timonier. La présence de Dieu en moi m'a fait naître, elle me préserve et constitue le principe de vie qui m'anime. La Bible dit : *Tu aimeras ton prochain comme toi-même* (Lévitique 19, 18).

Mon prochain se confond avec moi-même et m'est plus proche que le fait de respirer, que mes mains ou que mes pieds. Chaque seconde de la journée, je peux en pleine conscience honorer, célébrer et magnifier la présence divine qui m'habite et pour laquelle j'éprouve un profond respect et une saine admiration. Je sais que le sentiment du sacré que je célèbre en moi me pousse automatiquement à aimer et honorer la part de divinité qui est inscrite dans mon voisin. Si je suis enclin à être trop critique à l'égard de moi-même ou à dramatiser mes erreurs, je proclamerai avec insistance : j'honore, j'aime et je célèbre la présence de Dieu en moi, j'aime mon moi chaque jour davantage. Je sais que j'aimerai et respecterai davantage les autres en témoignant à mon moi véritable – la parcelle de divin qui m'habite – toujours plus de fidélité, d'amour, de respect et d'admiration. Si je célèbre Dieu en moi-même, je rendrai grâce à la dignité et au caractère divin de tous mes semblables. Je sais que ces vérités, si elles sont réitérées avec ferveur, s'enracineront dans mon subconscient et que je serai contraint du même coup de les laisser s'extérioriser car les lois du psychisme sont sans appel. Ce qui s'imprègne dans mon subconscient trouvera un écho dans ma vie et y prendra une forme concrète. Je crois totalement à cette sublime vérité. »

La deuxième phase de l'opération consiste à répéter ces mêmes vérités trois ou quatre fois par jour, si possible à heures fixes pour que la pensée constructive devienne une habitude.

Dans un troisième temps il est nécessaire de mettre un terme définitif à toute autocritique, à la macération, à toute dévalorisation de sa propre entité. Si vous avez des idées négatives du style « Je ne vaux rien... Je suis poursuivi par la poisse... Personne ne m'aime... Je suis une nullité », convertissez-les immédiatement en projections positives et dites : « Je loue Dieu en ma personne. »

La quatrième étape consiste à se représenter mentalement l'effet positif qu'on exerce sur ses collègues : imaginez-vous en train de les aborder de manière enjouée ou aimable. Essayez de vous figurer que vos supérieurs vous félicitent parce que vous avez fait du bon travail ou encore que vos amis vous souhaitent la bienvenue et vous accueillent le plus cordialement du monde. Car vous savez que ces projections sont une réalité virtuelle qui aura des répercussions dans votre vie et qu'elle deviendra du même coup une réalité matérielle.

La phase finale réside justement dans la conviction que tout ce que vous avez l'habitude de visualiser mentalement, de répéter dans vos réflexions doit prendre corps dans votre existence. Ce qui est ancré dans votre subconscient se matérialisera dans l'espace sous une forme ou sous une autre : événements, expériences, circonstances de la vie.

Mais revenons à notre jeune homme déprimé. Il procéda comme je lui avais indiqué, parfaitement conscient de ce qu'il faisait et pourquoi il le faisait. Connaissant désormais l'énergie créatrice de son psychisme, il eut de plus en plus confiance en cette « thérapie » et en ses applications pratiques. Petit à petit il réussit à « purger » son subconscient des inhibitions qui le congestionnaient.

Aujourd'hui, il est un hôte apprécié de ses collègues. Il a même été invité à une garden-party organisée par le P-DG de sa firme. La technique décrite précédemment lui donne du ressort psychologique et lui a déjà permis par deux fois d'avoir de l'avancement. Il n'y a pas deux ans, je le vis pour la première fois. Il occupe aujourd'hui le poste de directeur-adjoint d'une filiale de sa société. Il sait maintenant que l'utilisation de la force infinie qui est en nous, nous permet d'éliminer des événements, des expériences ou des circonstances paralysants et contribue ainsi à nous donner des atouts psychologiques.

Cela vaut aussi pour vous : ce que vous croyez vous arrivera.

Une échappatoire surprenante
à un mariage malheureux

Je reçus un jour de la part d'une femme une lettre en provenance du Texas :

« Cher Monsieur Murphy, j'ai lu votre livre sur *Les Prodiges de l'esprit*. Il m'a beaucoup aidé. Je souhaiterais toutefois vous consulter pour un problème personnel. Mon mari me critique sans arrêt et m'adresse des paroles offensantes, sarcastiques et haineuses. Sa duplicité m'empêche d'ajouter foi à ce qu'il dit. Nous ne partageons pas le même lit. Il n'est plus question d'intimité conjugale entre nous. Nous n'avons pas d'enfants et lorsque je fais un travail dans l'intérêt du ménage, il a toujours quelque chose à redire. Au cours des cinq dernières années, nous n'avons invité personne. J'éprouve du dégoût à son égard. Je crains de commencer à le haïr. Je l'ai déjà quitté deux fois. Nous avons déjà cherché un soutien spirituel ainsi qu'une assistance psychologique et juridique. Cependant nous avons complètement coupé les ponts. Que dois-je faire ? »

J'écrivis la lettre suivante à cette femme :

« Chère Madame... Il vous est permis de mépriser et de haïr qui que ce soit sur terre. Mais de tels sentiments ou de telles réactions sont un poison pour l'esprit, une substance qui intoxique votre univers mental et vous prive de votre paix intérieure, de votre harmonie, de votre santé et de votre faculté de jugement. Cet empoisonnement va ronger votre âme et faire de vous une épave sur le plan psychologique. Dans le monde de vos pensées vous régnez en maître absolu et vous seule – et non lui – êtes responsable de la manière avec laquelle vous pensez à votre mari. Je vous propose de ne plus rechercher son contact. Peut-être devriez-vous même vous en remettre totalement à Dieu. Aucune vie ne doit être la proie du mensonge. Il est plus sage de dévoiler un mensonge que de le vivre. Parfois, dans notre existence arrive le moment où, ayant tout fait pour résoudre un problème, il nous faut suivre le commandement de saint Paul par lequel il nous enjoint de nous en remettre à la sagesse cosmique qui, elle, est peut-être capable de trouver la solution en nous.

« Vous avez consulté des psychologues, des avocats et des ministres du culte, sans doute dans l'espoir bien compréhensible de sauver votre mariage. Et pourtant aucune solution ne semble se dessiner. Tournez votre esprit vers des projets constructifs et changez d'attitude avec votre mari en évitant si possible l'indifférence et la froideur.

« L'énergie infinie étant toujours facteur d'évolution positive, voici une prière qui va débloquer les choses si vous êtes fidèle à son esprit :

"Je confie mon mari à Dieu qui l'a créé et préserve sa vie. Dieu lui révèle sa vraie place ici-bas. Il vit sous ses auspices une existence heureuse et bénie. La sagesse cosmique lui dévoile le projet divin et lui montre le chemin qu'il doit emprunter. Une force infinie le traverse et sa vie baigne dans l'amour, la paix, l'harmonie et la joie de faire le bien. La divine providence m'aidera à agir dans le bon sens et à prendre la décision appropriée. Elle m'indiquera quand le faire au mieux de mes intérêts et pour le bien de mon mari. Je sais que ce qui profite à une personne profite aussi aux autres. Lorsque je penserai à mon mari je dirai avec ferveur quoi qu'il dise ou qu'il fasse : *Je t'ai confié à Dieu*. Je suis en paix avec tous les hommes et je souhaite à mon mari tous les bienfaits de la vie". »

En conclusion je recommandai à cette femme d'échafauder des projets dans sa propre vie, de cultiver ses talents et de continuer de contribuer au bien du ménage. Elle se devait de répéter aussi souvent que possible cette prière car ces pensées pieuses libéreraient son subconscient de toute rancune et crèveraient les poches d'idées corrosives et négatives qui s'étaient formées dans les replis de sa vie psychique. Illustrons par une image la libération ou la « purge » ainsi produite : si des gouttelettes d'eau tombent à intervalles réguliers dans une coupelle remplie d'eau sale, celles-ci, si l'on sait être patient, nettoieront le liquide insalubre si bien qu'au bout du compte, il ne restera plus que de l'eau potable dans le récipient. Bien sûr, il est possible de le rincer avec un tuyau d'arrosage et de le remplir d'eau fraîche pour obtenir plus rapidement une boisson propre. Le tuyau serait comparable à une « transfusion » d'amour divin capable de purger l'âme immédiatement. Il est pourtant préférable de laisser s'opérer un processus progressif.

Les effets de la prière que je lui avais recommandée et qu'elle médita de tout son cœur sont significatifs et surprenants, comme l'indique l'extrait de sa correspondance que je reproduis ici :

« Cher Monsieur Murphy... Je vous suis extrêmement reconnaissante de m'avoir adressé votre lettre accompagnée de vos conseils et de la prière personnelle qui est devenue mon *pain quotidien*. Dès que mon mari était sarcastique à mon égard et déversait sur moi ses malédictions je le bénissais en pensant en moi-même : *Je te confie à Dieu*. Je me suis mise à me consacrer de manière plus intensive encore à l'activité que j'exerce à l'hôpital et dans des associations d'entraide. Au cours des six dernières semaines je me suis fait beaucoup d'amis. Cela coïncide avec le début de mes prières. La semaine dernière mon mari me demanda le divorce que j'acceptai avec soulagement. Nous avons déjà procédé à un partage des biens équitable. Il va aller à Reno pour s'occuper des formalités de la séparation. Il veut se remarier avec une personne qui lui conviendra, me semble-t-il. J'ai moi-même rencontré quelqu'un, un ami d'enfance que j'ai revu à l'hôpital où je travaille. Nous nous marierons dès que je serai libre juridiquement. »

Dieu prodigue ses bienfaits de manière vraiment étonnante !

1. Soyez conscient du fait que chaque problème peut être résolu avec l'aide de Dieu car vous hébergez la force infinie qui est omnisciente. Affrontez chaque difficulté courageusement, la sagesse infinie vous révélera la réponse dont vous avez besoin. La « montagne », autrement dit l'obstacle, sombrera dans la mer ; elle s'évanouira et disparaîtra à jamais de votre champ de vision.

2. Le moyen le plus sûr et le plus rapide pour vaincre dépression et découragement consiste à aller vers les autres en leur témoignant de l'amitié et une profonde estime. Investissez-vous dans des actions désintéressées – en milieu hospitalier par exemple – célébrez la présence de Dieu dans un ami malade et pratiquez une « transfusion » spirituelle en lui prodiguant tendresse et sympathie.

3. Méditez les vérités contenues dans le Psaume 42. Il agira comme un puissant stimulant, comme un antidote spirituel de tout premier ordre contre les états dépressifs et le mépris de soi-même.

4. Donnez une forme concrète à la présence de Dieu en vous rappelant constamment que son harmonie, sa paix, sa beauté, sa lumière, son amour, sa bonté sont des émanations perceptibles dans vos semblables et en vous-même.

5. Les couples doivent former une unité, chacun s'identifiant aux qualités de son partenaire, celles-là mêmes qui l'avaient séduit lors du mariage. Si chacun voit dans l'autre la trace de la divinité et sait lui rendre hommage, un climat d'harmonie s'instaurera au sein du couple et l'existence conjugale deviendra une source de joie et de bien-être toujours plus grande au fil des ans.

6. Les hommes mariés doivent éviter d'exercer une tyrannie morale sur leurs épouses, la réciproque étant vraie

bien entendu. Chaque individu est une entité unique. Un être dont la personnalité est bafouée sombre dans la névrose, se sent étranglé sur le plan psychique. Les deux conjoints doivent s'accomplir à travers un épanouissement mutuel.

7. L'obstination est source de bienfaits. Priez régulièrement. La foi consiste à intégrer en soi les fondements de l'éternité pour en faire un élément constitutif de sa propre personne. Croyez et vous serez exaucé.

8. Quand quelqu'un a la sensation d'être sans arrêt victime des fourberies de son entourage, il est vraisemblable que la cause de cet état d'esprit est liée à un traumatisme psychique qui s'est fossilisé en lui et qui provoque cette volonté inconsciente d'échec ou d'humiliation. Cette personne trouvera la guérison en célébrant de manière opiniâtre la présence de Dieu en elle-même. Elle est son moi véritable. Elle devra aussi enraciner dans son subconscient toutes les vérités divines, des vérités capables de chasser de son âme tout ce qui s'oppose à Dieu et relève du mensonge.

9. Si vous avez tout mis en œuvre pour résoudre un problème, si, en dépit de conseils avisés, vous ne savez toujours pas ce que vous devez faire, essayez, dans la mesure où votre motivation est authentique, de vous en remettre à la force infinie qui est en vous, qui connaît la réponse à vos interrogations et qui est à même de vous dévoiler la solution la plus adéquate. Confiez votre problème à Dieu et persuadez-vous au plus profond de votre âme que la réponse ne tardera pas à venir : alors une aube nouvelle poindra à l'horizon et les ombres de la nuit s'évanouiront.

10

LA FORCE INFINIE EST LA SOURCE DU BONHEUR

Lors de la fête des moissons, je pris l'avion pour Hawaï afin de visiter différentes villes et certains sites de l'archipel, mais aussi et surtout pour faire connaissance de quelques autochtones de souche insulaire. Dès le début de mon séjour, je sympathisai avec un guide local qui me présenta à ses amis en m'emmenant dans plusieurs maisons si bien que je pus découvrir le mode de vie des indigènes. Les habitants des nombreuses demeures que je visitai me firent tous l'impression de tempéraments heureux et libres. J'eus l'occasion de rencontrer de nombreuses personnes au caractère jovial et généreux, animées d'un profond sentiment religieux, sensibles à la musique et à la joie que procure l'amour de Dieu, des personnes dont la vie était auréolée par l'esprit d'une liberté d'origine divine. Dans les pages qui suivent, vous apprendrez vous aussi à tracer la voie d'une existence heureuse et triomphante.

Un homme trouve le secret de la plénitude

Alors que je faisais quelques achats dans un village situé dans un coin retiré d'une île, j'eus une conversation riche d'enseignement avec le tenancier du magasin qui avait quitté le continent américain quelques années plus tôt. Il me confessa qu'il avait d'abord sombré dans l'alcoolisme. Sa femme l'avait abandonné en emportant tous les avoirs déposés sur leur compte commun. Rendu amer, haineux et irascible par cette expérience, il avait eu le plus grand mal à se réintégrer dans un cadre établi. Un ami lui avait conseillé de faire un voyage sur cette île, en lui expliquant que c'était l'endroit le plus ancien de l'archipel et que les paysages, constitués d'une végétation arbustive magnifique, étaient d'une beauté incomparable. Cet ami lui avait dépeint les couleurs des vallées, les plages cendrées et les contours des cours d'eau en termes si convaincants qu'il en avait été fasciné.

A son arrivée, il avait travaillé quelques mois dans les plantations de canne à sucre, mais il était subitement tombé malade et avait dû passer plusieurs mois à l'hôpital. Chaque jour, les indigènes lui avaient rendu visite et apporté des fruits frais. Ils priaient pour lui en témoignant l'intérêt le plus vif à son rétablissement. Leur gentillesse, leur sollicitude et leur sympathie lui étaient allées droit au cœur et l'avaient comme « contaminé ». Il ne tarda pas à leur rendre la pareille en affichant à l'égard des gens de la bienveillance et de la bonté. En peu de temps il était devenu un autre homme.

La formule qui caractérise le destin de cet homme est très simple : l'amour triomphe toujours de la haine et la bonté de la vilenie car telles sont les lois qui régissent l'univers. Cependant quels sont les ressorts psychologiques de cette histoire ? Le cœur de cet homme était rongé par l'aigreur, le mécontentement de soi-même et la misogynie. L'amour et la chaleur, les prières de ses collègues hawaïens trouvèrent le chemin de son subconscient car il fut sensible à cette contamination positive. Les contenus négatifs qui l'encombraient disparurent du même coup. Son être se remplit d'amour et de chaleur à l'égard des autres. Il découvrit que l'amour est une sorte de panacée universelle qui permet de dissoudre tout élément négatif. Depuis lors, il prie régulièrement : « Je partage avec tous ceux qui me rencontrent l'amour, la joie et la paix. » Plus il prodigue d'amour, plus il en reçoit en retour. Le fait de donner est plus enrichissant que le fait de prendre.

Une vie de perfection en cinq enjambées

Chaque matin en ouvrant les yeux faites cinq pas mentalement et affirmez plein de ferveur et de conviction :

« 1. *Voici le jour que fit Yahvé, pour nous allégresse et joie* (Psaume 118, 24). Je me réjouis et remercie Dieu de guider ma vie avec la même sagesse éternelle que celle qui dirige les planètes sur leur orbite et fait se lever le soleil.

2. Aujourd'hui comme chaque jour je vais mener une vie merveilleuse. Chaque jour qui passe me fait partager de manière croissante l'amour, la beauté et la vérité de Dieu.

3. Je serai pour tous ceux avec qui j'entre en contact ou avec qui je travaille une aide précieuse et j'y trouverai une source d'expériences fécondes.

4. Mon activité professionnelle et les occasions de rendre service me comblent de joie.

5. Je me réjouis et remercie Dieu de me laisser accéder à sa bonté, à sa miséricorde et à sa vérité, de me laisser entrevoir les splendeurs de sa création en nombre croissant. »

Débutez la journée en posant ces postulats merveilleux et croyez à leur réalité. Ce dont vous êtes persuadé au plus profond de votre cœur, ce que vous attendez, s'actualisera dans votre vie. Des événements miraculeux se produiront !

Comment dialoguer avec Dieu

Pendant mon séjour à Hawaï, lors d'une excursion dans une grotte où les canotiers ont l'habitude d'entonner le célèbre chant des épousailles, je fis la connaissance d'un homme extraordinaire. Il avait quatre-vingt-seize ans, une démarche extrêmement souple et chantait dans le bateau qui nous avait conduits à la grotte en question les plus beaux chants d'amour hawaïens. Après ce périple, il m'invita chez lui et ce fut pour moi un événement mémorable. Le repas était constitué de galettes, de tartelettes aux pommes, de riz, de saumon fumé, le tout accompagné d'un café qui est cultivé dans l'une des îles avoisinantes. Pendant le repas il me raconta comment il était devenu « un homme nouveau en Dieu ». Avec ses quatre-vingt-seize ans il me donnait effectivement l'impression d'en être un ! Il était jovial et resplendissant de santé. Ses yeux laissaient transparaître un sentiment d'amour, tout son visage était empreint de joie. Il parlait couramment l'anglais, l'espagnol, le chinois, le japonais et les dialectes indigènes. Tout en me servant ces mets savoureux, il m'enseigna des éléments de sagesse locale, me raconta des histoires drôles et des anecdotes amusantes comme on en entend rarement.

J'étais fasciné et je lui demandai finalement : « Révélez-moi le secret de votre vitalité et de votre joie de vivre. Vous débordez d'enthousiasme et d'énergie ! »

« Pourquoi ne devrais-je pas être heureux de vivre et robuste ? me répondit-il. Regardez, toute l'île m'appartient, et pourtant je ne suis propriétaire de rien. C'est Dieu qui possède tout. Toutefois l'île et tout ce qui s'y rattache est à moi. Tout ce qui s'y trouve est une source de joie permanente : les montagnes, les cours d'eau, les cavernes, la mer, les hommes, l'arc-en-ciel. Savez-vous comment j'ai eu cette maison ? » Il répondit lui-même à sa question : « Un touriste reconnaissant l'a achetée et m'en a fait cadeau, sinon je ne la posséderais pas. »

Puis il me raconta qu'il y a une soixantaine d'années, victime de la tuberculose, les médecins l'avaient délaissé, considérant que son cas était désespéré. Pourtant un prêtre local lui avait rendu visite et avait dit à sa mère qu'il resterait en vie car Dieu veillerait à son salut. Le prêtre avait psalmodié des chants religieux, lui avait imposé les mains sur le cou et la poitrine et avait invoqué dans sa langue maternelle les vertus curatives du Tout-Puissant. Après une heure de méditation, celui-ci l'avait complètement guéri et, dès le lendemain, il était allé à la pêche. « Depuis cette époque, me dit-il, je n'ai plus jamais ressenti de douleurs ou de gênes. J'ai des jambes de vingt ans. J'ai escaladé toutes les montagnes que vous voyez. En outre, ajouta-t-il, j'ai des amis très chaleureux et très braves, je dispose d'un petit cheptel de chèvres et de moutons et surtout de cette île. Dieu est dans mon cœur. Comment ne pas être heureux et fort ? »

Ce vieil homme dialogue réellement avec Dieu. Il chemine avec lui. Et comme Dieu habite son cœur il est heureux tous les jours. Il cultive son lopin de terre, veille sur ses chèvres et ses moutons, rend visite aux malades, prend part à toutes les festivités et chante le répertoire des romances hawaïennes qui ne laissent pas les auditeurs insensibles.

Le prêtre lui avait simplement donné comme consigne de chanter le centième Psaume. « Passe le matin, le midi et le soir dans la contemplation de ces vérités, abrite-les dans ton cœur, tu ne seras plus jamais malade », lui avait-il dit.

Il chanta devant moi les paroles de ce psaume. Je n'ai jamais entendu de ma vie un chant contenant une telle charge émotionnelle. J'avais l'impression qu'une divine mélopée résonnait à mes tympans. En voici le texte qui est un appel à la louange :

Acclamez Yahvé sur toute la terre,
servez Yahvé dans l'allégresse,
venez à lui avec des chants de joie !

Sachez-le, c'est Yahvé qui est Dieu,
il nous a faits et nous sommes à lui,
son peuple et le troupeau de son bercail.

Venez à ses portiques en rendant grâces,
à ses parvis en chantant louanges,
rendez-lui grâces, bénissez son nom !

Il est bon Yahvé,
éternel est son amour,
et d'âge en âge sa vérité.

(Psaume 100)

Comme vous connaissez les lois de l'esprit, vous imaginerez aisément quelle impression le prêtre avait pu faire sur cet homme. Ce dernier avait cru sans réserve à son pouvoir et s'était persuadé de sa guérison. Cette conviction profonde était en conformité avec sa foi. Aujourd'hui, en chantant tous les jours le centième Psaume, il élève son corps et son esprit qu'il tourne vers Dieu dans un sentiment de louange et de gratitude. Par un effet automatique, sa vie se trouve toujours auréolée de bienfaits.

La gratitude nous rapproche de Dieu. Comme cet homme remercie quotidiennement le Créateur de lui accorder une bonne santé, le bien-être et la sécurité en plus de tous les autres motifs de satisfaction, Dieu le lui rend au centuple en multipliant indéfiniment sa prodigalité. Telle est la loi de l'action et de la réaction, un principe cosmique, universel. La Bible nous dit : *Rapprochez-vous de Dieu, il se rapprochera de vous* (Epître de saint Jacques 4, 8). L'écrivain américain H.D. Thoreau, qui était un homme habité d'une grande spiritualité, répétait qu'il faut nous féliciter de notre naissance.

Chantez et vivez les vérités du centième Psaume. Inscrivez-les dans votre cœur en les répétant lentement d'une voix douce et convaincue. Si vous pratiquez cela ces vérités grandiront en vous, elles germeront comme des fruits et votre vie deviendra une source de miracles permanents.

Une vie entière
passée dans la joie et l'enthousiasme

Lors d'une expédition en bateau au canyon du Waiema, une gorge de mille mètres de profondeur creusée par le fleuve, une vieille dame était assise à mes côtés. Elle avait ses deux petites-filles avec elle et attirait constamment leur attention sur la splendide coloration des strates et sur les plantes tropicales agrippées aux parois rocheuses. Je me dois effectivement de souligner que les jeux d'ombre et de lumière dus à la réflexion du soleil et des nuages conféraient à l'ensemble un aspect inoubliable. Cette femme rayonnante et encore séduisante me raconta qu'elle avait plus de quatre-vingt-dix ans et qu'elle n'avait jamais été malade de sa vie. Elle en attribuait la cause à une vie contemplative, à une habitude de prières. Cette vieille femme donne encore des cours du soir, écrit des poèmes, fait du bateau en haute mer, pêche, trait tous les jours deux vaches dont elle est propriétaire, intervient au sein de groupements féminins. Elle projette même pour bientôt un voyage en Europe en compagnie d'une vingtaine de personnes qui font partie du cercle de ses amis.

Elle me montra un bristol sur lequel elle avait dactylographié une citation de A. Tennyson : « Mon esprit garde en lui ses vivantes promesses. Mon imagination s'alimente aux sources antiques de l'inspiration. » Au verso se trouvait un verset biblique : *Ah ! vous tous qui avez soif, venez vers l'eau, même si vous n'avez pas d'argent, venez, achetez et mangez ; venez, achetez sans argent, sans payer du vin et du lait* (Isaïe 55, 1).

Le vin est dans la Bible synonyme d'inspiration divine. L'esprit de Dieu s'empare de votre personne et vous remplit d'énergie et de vitalité. Le lait est le symbole de la nourriture. Votre esprit a besoin de nourriture autant que votre corps. Alimentez votre esprit par des projections qui seront les agents de la guérison et de l'inspiration, qui vous combleront de noblesse et de dignité. Abreuvez-le quotidiennement de pensées liées à l'amour, à la paix, à la confiance, au succès, à la droiture. Le seul tribut que vous aurez à verser consistera à rester attentif, à vous conformer fidèlement aux principes de vérité voulus par Dieu.

Cette vieille femme a la clé d'une vie foisonnante. Elle a donné vie dans son cœur aux deux citations d'origines biblique et poétique. Elles font partie intégrante de sa personne. Elle croit à ce qu'elle affirme et vit dans une heureuse expectative. Des ondes positives faites de chaleur et de joie de vivre émanent de sa personne. Elle a compris que le dialogue quotidien avec Dieu fait sourdre une source infinie d'énergie cosmique qui conduit à une vie de bonheur.

La fête du corps et de l'esprit

Sur l'île exotique de Maui, je rendis visite à une amie dans la maison de laquelle un groupe de personnes qui avaient des centres d'intérêt communs s'était réuni pour discuter des lois cosmiques et des phénomènes psychiques qui déterminent notre existence. Les invités connaissaient les livres que j'avais écrits sur *La Puissance du subconscient* et *Les Prodiges de l'esprit*. Je n'ai, de ma vie, jamais rencontré groupe de personnes plus enthousiaste et plus joyeux. Dans leurs cœurs brûlait un feu sacré. Par leurs récits respectifs, ils se confortaient les uns les autres dans leur conviction commune : le fait de croire à une force qui vous dépasse, qui transcende votre ego, permet de résoudre ses problèmes personnels. Ils organisaient régulièrement des cercles de réflexion sur mes livres et écoutaient mes enregistrements sur bandes magnétiques. Ils m'assaillirent de questions qui me remplirent de joie car elles révélaient un intérêt profond pour le sujet et une conscience évidente des vérités intangibles liées à l'univers. Ces gens-là avaient découvert que le bonheur d'exister résulte de la contemplation régulière et systématique des vérités divines.

Sagesse hawaïenne et joie intérieure

A en juger par mes propres constatations, les habitants des îles Hawaï sont un peuple de sages qui a accumulé au cours des siècles un large éventail de connaissances ésotériques transmises oralement. Lors du vol qui me conduisit d'une île à l'autre j'eus à côté de moi un jeune insulaire qui connaissait sur le bout des doigts les conditions atmosphériques, les courants et les marées. Il me raconta qu'il avait le pouvoir de prévoir les raz de marée, les tempêtes et les éruptions volcaniques. Il connaissait par cœur le nom des fruits, des fleurs et des arbres qui poussent sur les îles. Les vertus curatives des herbes locales ne lui étaient pas non plus étrangères.

A ses dons prémonitoires indubitables s'ajoutait la faculté de lire les pensées. Dans l'avion il me dit où j'allais, il cita mon nom et mon adresse, décrivit des faits tirés de mon passé avec une lucidité stupéfiante. Pour mesurer l'étendue de ses pouvoirs extralucides je le priai de lire le contenu d'une lettre qui se trouvait dans ma poche et qui n'avait pas été décachetée parce que je l'avais tout simplement oubliée. Il m'en livra la teneur sans fautes, comme je pus le vérifier par la suite.

Ce jeune homme a un tempérament introspectif qui lui permet d'avoir accès à son subconscient qui, comme nous le savons, connaît toutes les réponses à nos questions. « Quand je veux savoir quelque chose, je prie Dieu de me donner la réponse, me dit-il. La réponse arrive toujours car je sais qu'en moi-même j'ai un ami. » Il travaille dans les champs de canne à sucre, joue de la guitare hawaïenne, chante la plupart du temps en travaillant : il est manifestement en fusion avec l'infini. Il ne fait aucun doute qu'il a un ami à l'intérieur de lui-même. Il sait la joie que procure la présence de Dieu en soi-même qui est notre force.

La « formule magique » qui permet de vaincre l'accoutumance

Lors de mon séjour dans les îles, je consacrai une journée aux personnes qui désiraient me consulter. Mon premier visiteur était un homme à qui j'avais déjà prodigué mes conseils autrefois à Honolulu. A cette époque, il était alcoolique et avait essayé de se désintoxiquer de diverses manières en ayant recours aux médicaments, à l'hypnothérapie et à d'autres traitements, mais le mal n'avait été qu'en partie résorbé car c'était encore un buveur occasionnel.

Après les salutations d'usage il me dit : « Je suis simplement venu vous remercier. Je ne veux pas abuser de votre temps. Vous m'avez expliqué à une certaine époque que la bouteille n'a aucun pouvoir et que c'est moi, au contraire, qui la domine. Vous m'aviez suggéré de cesser de m'inventer des alibis et des prétextes et d'essayer plutôt de me comporter en homme. Je m'en suis tenu aux techniques que vous m'avez recommandées. Je me suis pardonné à moi-même et à mon entourage. Aujourd'hui je possède un fonds de commerce, je suis marié et j'ai deux enfants superbes. Je voulais simplement vous dire merci. »

Je me souvins parfaitement de cet homme et de la conversation que j'avais eue avec lui à Honolulu. A cette époque, il sortait d'une cure de désintoxication effectuée dans une clinique. A l'aide de la formule suivante il avait pleinement réussi à métamorphoser sa vie.

144

1. Je me pardonne totalement d'avoir fait preuve à l'égard des autres d'hostilité, de rancune et de jalousie. Quand je pense aux autres je ne leur souhaite qu'une chose : bénéficier des bienfaits de la vie.

2. Je suis le maître incontesté de mes pensées, de mes paroles, de mes actes et de mes sentiments. Je domine de manière absolue l'univers de mes idées.

3. Je désire me désintoxiquer. Je le pense au plus profond de moi-même, très sincèrement. Si le désir de me libérer de mon accoutumance est plus fort que le désir de poursuivre ma vie antérieure, je suis guéri à soixante pour cent. J'en suis convaincu.

4. Je suis sûr de ma détermination et je sais qu'il m'arrivera ce que j'ai décidé. Mon subconscient s'imprègne de mes pensées les plus sincères.

5. Je veux désormais utiliser la force de mes pensées. Je sais que cette force est celle qui guide l'homme depuis les origines, qu'elle est la plus grande de mes capacités. Trois fois par jour, je ferai défiler mentalement un film dans lequel ma mère me félicite d'avoir réussi à recouvrer la santé et la liberté. J'entends sa voix et je sens son étreinte. Je m'immerge dans la joie que me procure cette sensation. Si je cède à la tentation je ferai aussitôt défiler ce film devant mes yeux. Je sais que derrière ce scénario mental se dissimule une énergie divine.

6. Je suis pleinement conscient de ce que je fais et pourquoi je le fais. Je sais qu'il m'arrivera ce à quoi je crois. Croire signifie reconnaître comme vrai. Je sais que mon désir est authentique, que ma vision mentale est une réalité et que la force qui est derrière moi et me soutient est d'essence divine. Je sais que la force infinie de Dieu se propage vers un point sur lequel se fixe toute mon attention.

7. Désormais je suis libre et plein de gratitude.

J'ai communiqué cette « formule magique » à de nombreux alcooliques et toxicomanes qui étaient sous la dépendance du LSD, de la marihuana ou d'autres drogues. Grâce à l'application de ces principe simples ils peuvent surmonter leur accoutumance. Cet homme pétri de reconnaissance est heureux aujourd'hui. Il a pris un nouveau départ. Il m'invita à dîner chez lui. On entendait le murmure des cocotiers dans la tiédeur de la brise, l'écume des vagues venait lécher la plage toute proche, une végétation luxuriante brillait de tous ses feux autour de la maison, le sorbet aromatisé au citron avait goût de nectar, le *poï,* le plat national hawaïen constitué de racines de taro fermentées et épicées de noix muscades et de cannelle, était délicieux à souhait. Une atmosphère de chaleur, de joie de vivre et de sérénité imprégnait toute la maison. Mon hôte et sa famille prièrent avant et après le repas en remerciant Dieu de tous ses bienfaits. Des chants d'amour polynésiens et des morceaux de musique indigènes retentirent dans la maison. J'étais réellement dans un endroit où la force infinie faisait sourdre une vie de bonheur et ce foyer en était le pivot.

Une jeune fille renaît à la vie

Avant de partir à Hawaï, j'entretenais déjà des relations épistolaires avec Mary, une jeune fille qui habitait l'île de Kauai. Dans sa première lettre, elle disait être en proie à une angoisse psychotique. Elle se sentait complètement inhibée. Elle avait quitté son fiancé qui la pensait envoûtée par un *kahuna*, un sorcier local. C'est pourquoi elle vivait dans un état de terreur permanent.

Je lui envoyai mon livre *La Puissance de votre subconscient* avec une lettre d'accompagnement dans laquelle j'essayai de la convaincre qu'il n'existe qu'une seule force au monde, que cette force agit en notre faveur sous la forme d'un principe d'unité et d'harmonie qui structure l'univers, que Dieu est esprit, un et indivisible, qu'une partie de cet esprit divin ne peut être hostile à une autre partie de lui-même et qu'en conséquence elle n'avait rien à craindre. En outre je lui recommandai d'avoir recours à des exercices spirituels avec l'aide desquels elle pourrait surmonter ses frayeurs. Il y avait plusieurs mois de cela.

Durant mon séjour dans les îles, j'eus une conversation avec elle. Elle était rayonnante, elle communiquait à son entourage de l'enthousiasme et de la joie de vivre, elle avait des quantités d'idées originales dont l'application pouvait conduire à des innovations fructueuses pour l'île. Elle s'écria : « Je m'en suis tenue à vos prescriptions écrites et j'ai l'impression d'être métamorphosée par une lumière intérieure. »

Voici la formule méditative que je lui avais recommandée dans ma lettre :

« Dieu est la seule entité existant au monde. Uni à lui, l'homme est toujours plus fort que lui-même. *Si Dieu est avec nous, qui peut s'en prendre à nous ?* (Epître aux Romains 8, 31) nous dit saint Paul. Je sais et je crois que Dieu est un esprit vivant et tout-puissant, une unité impérissable, une force omnisciente et qu'il n'existe aucune puissance capable de le défier. Je sais et j'accepte que la force de Dieu s'unisse à mes pensées si elles sont pures. Je sais que je ne peux pas recevoir ce que je ne suis pas prête à donner. C'est pourquoi j'adresse à mon ex-fiancé et à tous ses proches les pensées les plus pures de paix, de lumière et de chaleur. Je me sens immunisée et parcourue par l'esprit divin. Je serai désormais toujours entourée du cercle sacré de l'amour divin. Dieu guide mes pas pour que je renaisse à la vie. *Tu m'apprendras le chemin de vie, devant ta face, plénitude de joie, en ta droite, délices éternelles* (Psaume 16, 11). »

La jeune femme répéta cette formule matin, midi et soir de manière régulière et systématique. Elle avait compris que les proclamations contenues dans cette prière, à force d'être réitérées, prendraient racine dans son subconscient en se soumettant à un processus d'osmose spirituelle et réapparaîtraient dans sa vie sous la forme d'une paix intérieure, d'un sentiment de sécurité et de confiance en soi, d'une sensation de liberté et de protection. Elle savait qu'elle s'en remettait aux lois intangibles de l'esprit.

Sa peur se dissipa au bout de dix jours. Elle a maintenant un travail intéressant sur l'île et m'a présenté son nouveau fiancé qui dit d'elle : « C'est ma joie de vivre. » Cette jeune femme était paralysée par l'angoisse d'une prétendue malédiction. Aujourd'hui, au contraire, elle est ouverte sur le monde extérieur, elle déborde d'énergie et est toujours prête à exploiter ses dispositions naturelles.

Magie blanche et magie noire

La plupart des gens dans les îles Hawaï affirment qu'il n'existe pratiquement plus d'enchanteurs, peut-être par peur d'en parler. Seuls ceux qu'on appelle les sorciers blancs parce qu'ils pratiquent soi-disant la magie blanche et jettent des sorts favorables par leurs formules incantatoires et leur savoir ésotérique sont mentionnés. Ils bénéficient de beaucoup de prestige. L'un de mes guides hawaïens m'expliqua que ces sorciers sont initiés dès leur plus jeune âge par leurs prédécesseurs, qu'ils sont tenus au secret et soumis à une discipline de fer. Ils sont presque tous célèbres à cause de leurs pouvoirs en matière de guérison qui découlent de ce que nous appelons aujourd'hui des forces psychiques ou parapsychiques. Ils connaissent aussi les propriétés médicamenteuses de certaines herbes ou de certaines plantes. Chez nous ces magiciens seraient considérés comme des sortes de guérisseurs.

Mon guide qui, contrairement à d'autres indigènes, était disposé à s'appesantir sur le sujet, me confia aussi que les gens avaient une « peur bleue » de certains ensorceleurs qui pratiquent la magie noire et les rituels de mort. Certes, j'en conviens, les jeteurs de sort qui sèment la haine et fomentent la discorde et la destruction existent de par le monde de manière plus importante que ne le pensent la plupart des gens. Leur pouvoir est grand à l'égard de ceux qui partagent leurs convictions parce que ces derniers s'abandonnent par leurs croyances à un univers mental et émotionnel d'hostilité et d'anéantissement. Le pouvoir de cette magie noire se brise sur la personnalité de ceux qui croient en Dieu et à la bonté dans l'homme.

La jeune femme dont j'ai fait mention a pu constater sur sa propre personne que les menaces, les appels à la destruction et les malédictions proférés par d'autres personnes n'ont absolument aucun pouvoir en soi. Cela vaut aussi pour vous : dans votre monde vous êtes le seul maître de vos pensées et ces pensées sont créatrices. Si vous pensez la vie en termes positifs vous serez comblé de bienfaits, si vous pensez la vie en termes négatifs vous serez frappé par le mauvais sort. Unissez-vous à Dieu. Si vos pensées sont pures Dieu vous soutiendra. N'oubliez pas que celui qui s'allie à Dieu se multiplie et pensez comme saint Paul : *Si Dieu est avec nous qui peut s'en prendre à nous ?* (Epître aux Romains 8, 31).

RÉSUMÉ

1. L'amour de Dieu et donc l'amour du beau, du bien, du vrai vous permet de vivre une vie foisonnante.

2. L'amour, la chaleur, la bonté font fondre la glace dans le cœur des autres et déclenchent par automatisme chez celui à qui ces sentiments sont témoignés des émanations positives. L'amour soigne tous les maux, c'est le remède par excellence.

3. Affirmez plein de ferveur le matin en ouvrant les yeux : « Voici le début du jour que le Seigneur a fait pour

moi. Je vais passer cette journée dans la sérénité et me réjouir du temps qui passe. Je remercie Dieu de guider ma vie avec la même sagesse que celle qui dirige les planètes sur leur orbite et fait se lever le soleil. » Croyez à la divine providence et des miracles se produiront dans votre vie.

4. Comprenez bien que le vieillissement n'est nullement une fuite du temps, mais l'aube d'une sagesse plus grande qui s'empare de votre âme et de votre esprit. Dieu est le possesseur de toute chose et le monde entier était préexistant à notre naissance. Faites en sorte que la joie de vous unir au Seigneur soit votre force.

5. Laissez-vous envahir par les vérités proclamées dans le Psaume 100 qui est un hommage rendu au Seigneur. Chantez ces vérités jusqu'à ce qu'elles inondent votre âme et deviennent partie intégrante de vous-même, comme le pain que vous consommez et qui circule ensuite dans vos veines.

6. Un cœur reconnaissant est toujours proche de Dieu. Dans la Bible il est dit : *Rapprochez-vous de Dieu, il se rapprochera de vous* (Epître de saint Jacques 4, 8).

7 Vous pouvez, votre vie durant, vous sentir inspiré et le cœur empli de joie. Sollicitez chaque matin l'aide de Dieu, il exaucera vos prières.

8. La contemplation régulière et systématique des fondements de la vérité divine sera pour vous une source constante de joie. Vous deviendrez ce que vous contemplez.

9. Vous portez en vous des dons de voyance et de télépathie. Si vous vous développez sur le plan moral et psychique, si vous gagnez en sagesse, vous parviendrez à puiser dans vos potentialités intérieures, à activer les facultés qui sommeillent en vous et à les exploiter judicieusement dans votre vie quotidienne.

10. Vous ne pourrez recevoir ce que vous n'êtes pas prêt à donner. Cette loi est l'un des commandements de l'esprit. Prodiguez à tous vos semblables amour, chaleur humaine et joie de vivre. Plus vous partagerez, plus grandes seront vos rétributions sur le plan moral.

11. Vous êtes le maître absolu de vos pensées. Dans l'univers de Dieu vous n'avez rien à redouter. *Je ne crains aucun mal car tu es près de moi* (Psaume 23, 4). Un homme qui s'unit à Dieu n'est jamais seul, il se déploie. *Si Dieu est avec nous, qui peut s'en prendre à nous ?* (Epître aux Romains 8, 31.)

11

COMMENT CONSOLIDER LA FORCE INFINIE

Toute personne soucieuse de saisir l'essence de la vie sera frappée par la bipolarité des choses. Tout phénomène résulte de l'interaction des contraires et c'est l'union des forces de vie masculines et féminines qui structure notre univers. R.W. Emerson n'a-t-il pas affirmé que « la polarité, l'action et la réaction se rencontrent dans tous les secteurs de la nature » : esprit et matière, masculin et féminin, positif et négatif, santé et maladie, amour et haine, jour et nuit, chaleur et froid, intérieur et extérieur, doux et aigre, haut et bas, nord et sud, subjectif et objectif, mouvement et immobilité, oui et non, succès et échec, tristesse et gaieté... L'esprit et la matière ne sont rien d'autre que deux manifestations distinctes d'une même réalité. La matière est le prolongement de l'esprit. On peut dire qu'elle est le degré le plus subalterne de l'esprit de même que l'esprit est le degré le plus élevé de la matière. Dans la vie les contraires sont les facettes d'une seule et même réalité qui est Dieu ; et Dieu est esprit. Les contraires sont nécessaires. Sans eux la vie ne pourrait être appréhendée.

Dans un état d'absolu il n'existe aucune distinction, aucune opposition, il n'y a pas la moindre classification.

Cet état est un état d'unité. Lorsque l'absolu commença à se relativiser, lorsque Dieu créa l'univers, il inventa du même coup les contraires pour que nous prenions conscience de notre vie, pour que nous puissions nous fondre dans un environnement en ayant le sentiment d'être vivants. Nos perceptions et nos sentiments sont les fondements de notre conscience. La perception des contraires nous permet de faire la distinction entre le froid et la chaleur, le haut et le bas, la longueur et la largeur, le sucré et le salé, le décourage-ment et la joie, le masculin et le féminin. Cependant ces caractères antinomiques ne sont que les deux versants d'un tout unique, parfait et indivisible.

La dualité de la pensée

Un garçon de douze ans qui avait l'habitude d'écouter mon émission radiophonique du matin déclara à sa mère qu'il souhaitait aller en Irlande pendant les vacances pour rendre visite à son oncle. L'idée de ce voyage s'était soli-dement ancrée en lui, mais en même temps il avait des réti-cences : « Maman ne me laissera jamais partir. » De fait sa mère lui avait répondu : « C'est impossible. Nous n'avons pas assez d'argent. Nous ne pouvons pas nous offrir un tel voyage. Tu délires complètement ! » Cependant le garçon revenait sans arrêt à la charge. Il se référait à mon émission de radio en disant que, si l'on désire quelque chose, si l'on prie et si l'on y croit, la force créatrice qui est en vous peut vous entendre et la prière être exaucée. La mère lui rétor-qua : « Dans ce cas tu n'as qu'à prier ! » Le garçon lut beaucoup de livres qui se rapportaient à l'Irlande où son oncle possédait un grand domaine et pria : « Que Dieu trace le chemin pour que Papa, Maman et moi puissions aller passer les vacances en Irlande. Je crois à cette possibi-lité et Dieu va tout faire pour la réaliser. » Lorsqu'il lui revenait à l'esprit que ses parents ne possédaient pas l'argent du voyage, il récitait sa prière avec ferveur. Certes, il avait des pensées contradictoires, mais il se concentrait sur la réalisation de son désir et les schémas négatifs provoqués par le doute finirent par se dissiper.

Une nuit, le garçon rêva qu'il se trouvait sur le domaine de son oncle, au milieu des herbages. Entouré par des centaines de moutons, il conversait avec son oncle, ses cousins et ses cousines. Le lendemain matin, il décrivit à sa mère tous les détails de son rêve. A la plus grande stupéfaction de celle-ci, il arriva le jour même un télégramme dans lequel l'oncle les invitait tous les trois et se proposait de prendre à sa charge tous les frais inhérents au voyage aller et retour. Le garçon et ses parents approuvèrent avec joie.

Le désir intense du garçon s'était réalisé. Il me raconta plus tard que lorsqu'il débarqua avec ses parents sur les terres de son oncle, tout ce qu'il vit fut conforme à son rêve. Il lui arriva ce à quoi il avait cru.

Elle surmonte sa peur d'un deuxième mariage

Une jeune femme vint me voir en se lamentant : « J'aimerais bien me remarier, mais j'ai peur de me tromper et de faire la même bêtise que lors de mon premier mariage. » La peur faisait obstacle à son désir et dominait manifestement son esprit. Je lui expliquai que les pensées vont souvent par deux. Le fait de penser à la santé par exemple implique aussitôt l'idée de maladie. Il en est de même pour la richesse et la pauvreté, la bonté et l'indifférence, etc. Toutes ces idées sont les rameaux d'une même branche.

« Le moyen qui vous permettra de maîtriser les pensées négatives source d'angoisse, continuai-je, consiste à détourner votre attention de ces pulsions inhibitrices et à vous concentrer sur l'image d'un mari idéal. Ce processus mental vous aidera à surmonter les entraves engendrées par votre peur. » Pour finir je lui conseillai de réciter la prière suivante :

« Je sais qu'il n'existe qu'une force toute-puissante et que cette force ne rencontre aucun obstacle. Rien ne peut lui résister, la défier ou arrêter son cours. Elle est invulnérable, invincible. Je suis résolue à trouver l'homme de ma vie. Il me conviendra en tous points, physiquement et moralement. Je m'investis totalement dans cette recherche, convaincue que mon subconscient réalisera mon désir. » Si des pensées angoissantes lui venaient à l'esprit elle devait aussitôt se ressaisir et penser intensément : « Dieu entend ma requête. »

Au bout de quelques jours les images d'angoisse perdirent de leur intensité avant de s'évanouir tout à fait. La jeune femme se forgea un idéal de vie qu'elle projeta dans son esprit avec toute la volonté nécessaire.

Chaque nuit, nous accédons par l'entremise du sommeil à une réalité supérieure de la vie qui a des répercussions sur notre existence terrestre cloisonnée dans l'illusion de l'espace tridimensionnel. Peu après avoir commencé à appliquer la technique méditative que je lui avais recommandée, la jeune femme vit en rêve un prêtre en train de célébrer son mariage. Elle aperçut son futur mari et entendit le prêtre l'appeler par son nom en l'enjoignant de formuler ses vœux. Le rêve était le théâtre d'une profusion d'images. Elle avait vraiment l'impression de vivre la bénédiction nuptiale ; elle voyait les fresques sur les murs, elle frôlait les statues.

Elle se réveilla resplendissante, m'appela et me raconta ce qui lui était arrivé en songe. Je lui expliquai que, le mariage ayant déjà été célébré dans une dimension supérieure de l'esprit, elle pouvait être sûre que la réalisation intérieure de son désir aboutirait aussi à une concrétisation sur le plan extérieur de sa vie.

La jeune femme, secrétaire d'une grande société, fut invitée à dîner par l'épouse d'un cadre de l'entreprise.

Cette femme lui présenta son fils. C'était l'homme de son rêve ! Il lui dit qu'il l'avait déjà vue et lui raconta qu'il avait aperçu en rêve un prêtre qu'il ne connaissait pas célébrer son union avec une femme qui lui correspondait trait pour trait. Ils avaient fait le même rêve. Ce fut le coup de foudre. Ils se marièrent deux semaines plus tard.

Ce cas s'explique ainsi : la jeune femme avait pensé avec une telle intensité à l'homme idéal qu'il s'était constitué une photographie de celui-ci dans son subconscient. Le subconscient avait organisé une sorte de répétition générale au sein d'une conscience supérieure et mis en scène les éléments dont il avait été nourri en obéissant à la loi qui veut que tout événement objectif ait d'abord une réalité subjective. La réalisation du désir de cette jeune femme prouve une fois de plus l'existence de cette force infinie qui habite chacun de nous.

Vous êtes votre propre législateur

Toutes pensées, convictions, et tous les produits de votre imagination qui se coulent dans le moule de l'habitude déclenchent en vous certaines émotions. Votre univers mental, vos sensations se décalquent sur votre subconscient et y déposent une charge positive ou négative. Les thèmes dominants de votre activité mentale et de votre vie affective tissent pour ainsi dire le canevas d'un comportement auquel vous ne pouvez plus vous soustraire. Ce canevas se plaque automatiquement sur votre vie et se comporte à la manière d'un robot qui reproduit indéfiniment le même schéma. Les lois de l'esprit sont telles que les images projetées dans votre subconscient se répercutent dans votre vie sous la forme d'événements et d'expériences. Vos pensées, bonnes ou mauvaises, sont le stylet avec lequel vous gravez dans votre conscience profonde les lignes de votre destin, l'instrument par lequel s'écrit le livre de votre vie. Vous, et vous seul, déterminez les lois et promulguez les décrets qui serviront de cadre à votre existence.

Nanti de cette certitude, faites désormais en sorte d'incorporer à votre moi profond les idées de bonheur, de succès, de paix, de bien-être et d'harmonie, de sécurité et de droiture pour pouvoir, vous aussi, mener une vie exaltante.

Un représentant de commerce surmonte son sentiment de malchance

Un représentant me raconta un jour, plein d'amertume, qu'il n'avait pas conclu la moindre affaire depuis quatre jours. Il était convaincu, me disait-il, d'être poursuivi par la poisse. Dès qu'il appelait ses clients, ceux-ci n'étaient pas disposés à le recevoir, prétextant une impossibilité quelconque. Les derniers temps son chiffre d'affaires avait décru dans des proportions inquiétantes.

Il était agité et s'en voulait terriblement. Il pensait ne plus être capable de maîtriser la situation. Ne disposant d'aucun atout, il se prenait pour un médiocre. Ce cocktail de sentiments angoissants et culpabilisants laissa des traces dans son subconscient qui réagit aussitôt : ses peurs et ses doutes intérieurs se confirmèrent sur le mode extérieur, autrement dit dans sa vie professionnelle. En d'autres termes, il déclencha lui-même par ses pensées et ses convictions une réaction mécanique propre à se répercuter dans sa vie sous la forme des échecs et des déboires qui vont de pair avec l'autocritique et la culpabilisation.

Je lui expliquai que la « poisse » n'existe pas et que le premier pas vers la sérénité et les succès professionnels consistait à cesser immédiatement de s'incriminer, à se fondre dans la réalité divine qui était en lui et suivre la voie de la providence divine qui serait une source naturelle d'harmonie et de bien-être. Je lui dis qu'il possédait une grande capacité d'imagination et qu'il fallait qu'il se concentrât obstinément sur les idées de succès et de résultats positifs. S'il exploitait les facultés de son imaginaire la réaction ne se ferait pas attendre. Il comprit vite que les pensées et les images positives étaient en mesure de modifier le contenu de son existence. Cette certitude et la prière qui suit lui permirent de vaincre sa prétendue malchance et de la transformer en son contraire :

« A partir de maintenant, je m'attends au meilleur et je sais qu'il m'arrivera inéluctablement. Je sais que j'aurai droit au succès de multiples manières. Dès que je serai enclin à douter de mes forces, à me dévaloriser ou à culpabiliser, j'affirmerai de tout mon être : "Je célèbre Dieu à travers ma personne. Il guide mes pas et veille sur moi." Je sais que ma nature véritable est d'essence divine, que Dieu est en moi et assure ma prospérité en toute chose. Je suis déterminé à mener une vie placée sous le signe de la réussite et du bonheur. L'amour de Dieu me précède en tout lieu et j'affirme ma personnalité au-delà de mes espérances. »

A force de s'imprégner de ces postulats le représentant changea d'attitude. Il retrouva son esprit conquérant et se sentit plus disponible pour les autres. En peu de temps il réussit à faire progresser son chiffre d'affaires dans des proportions sensibles et augmenta du même coup le montant de ses commissions.

Un étudiant en médecine est tenaillé par l'angoisse

La citation qui suit est extraite d'une lettre que m'expédia un étudiant en médecine : « Je suis sur le point de tout laisser tomber. Je hais un de mes professeurs qui me fait beaucoup de mal avec ses remarques sarcastiques. Je suis épouvanté à l'idée qu'il puisse me faire rater mon examen et que je tombe en disgrâce auprès de mes parents. Je me déteste. Je suis introverti et caractériel. Je vis dans l'angoisse d'exploser face à ce professeur, alors tout serait fini pour moi. Je n'en peux plus, j'étouffe ! »

Comme une consultation est toujours plus fructueuse qu'un long commentaire écrit, j'engageai le jeune homme à venir me voir. En discutant avec lui, je m'aperçus d'une chose : il avait le sentiment qu'un échec ne serait que justice. Sa peur trahissait sa conviction inconsciente : il devait être puni et le professeur avait pour mission de le faire échouer car il n'était pas capable. Il confirma mes propos. En fait, il projetait sa peur et son sentiment de culpabilité sur ce professeur, sur ses parents et même sur l'université tout entière en se disant en même temps au plus profond de lui-même : « Il faut que j'échoue. »

Quelle était la raison de cette attitude ambivalente ? Pourquoi voulait-il devenir médecin et, en même temps, échouer à son examen ?

Il avait grandi sous la férule d'un père despotique qui ne supportait pas la moindre contradiction. Ses parents se querellaient en permanence. Son père lui imposait, sur le plan scolaire et dans d'autres domaines, des critères moraux beaucoup trop contraignants pour son âge et comme le fils ne parvenait pas à satisfaire les ambitions de son père il avait l'impression de ne pas être à la hauteur, d'être un raté. Il se méprisait et se sentait rejeté. L'apitoiement sur soi-même et la culpabilisation dictaient déjà son attitude à l'enfant. Parvenu à l'âge adulte, il revivait indéfiniment ce sentiment d'exclusion et de mépris de soi. Si l'un de ses professeurs jetait un regard critique sur son travail, il s'empressait de ranimer ses vieilles blessures et les traumatismes psychiques tapis dans les recoins de son enfance, convaincu qu'il ne valait rien et que, par conséquent, il se devait d'être puni. Ce mécanisme psychologique expliquait l'habitude qu'il avait prise de s'humilier et de considérer ses quatre années de médecine comme une entreprise sans fondement.

Je lui montrai le caractère pernicieux de cette manière de penser en lui expliquant que nous transférons souvent nos peurs, nos sentiments d'hostilité et notre propre tendance à la culpabilité sur des tiers, sur notre entourage, voire sur le vide. Il comprit en une fraction de seconde quelles conséquences désastreuses peuvent avoir des phrases du genre : « Je ne vaux rien ; je suis un raté ; ma conduite est répréhensible ; je suis une nullité ; la situation est sans issue. » Toutes ces affirmations suicidaires ont des retombées négatives et utilisent le subconscient comme une courroie de transmission. Quand il proclamait qu'il ne valait rien son subconscient répondait à ce stimulus en faisant en sorte qu'il échouât dans ses études et dans ses relations avec les autres. En plus il était vraisemblable que cet état d'esprit lui attirerait toutes sortes d'ennuis, d'accidents et de déconvenues.

En tant qu'étudiant en médecine, il dépista rapidement le facteur psychogène qui était à la source de cet état regrettable et s'astreignit aussitôt à une cure mentale. Il se dit la chose suivante en étant profondément convaincu de la véracité de ses propos :

« La présence de Dieu est un élément constitutif de ma vraie nature. Cette présence est synonyme d'harmonie et de joie. Dieu est indivisible, parfait, intemporel et tout-puissant. Sa présence constitue mon moi véritable, cette partie de moi-même qui reste égale à elle-même, aujourd'hui, demain et pour toujours. C'est le principe même de la vie qui s'incarne en moi pour y prendre la forme d'un moi suprême. Mon autre moi, ma personnalité, s'enracine dans mon éducation, ma scolarité et toute autre forme de conditionnement. Il découle de la mentalité et des convictions de mes parents, de mes proches, de mes professeurs ou d'autres personnes qui ont transplanté dans mon esprit des angoisses et des idées fausses lorsque j'étais encore trop jeune pour pouvoir me défendre. Je désire désormais transformer cette personnalité. Je vais implanter dans mon subconscient des schémas de pensée qui vont modeler mon avenir de manière positive. C'est pourquoi j'affirme que la bienveillance et l'amour inondent mon subconscient et étouffent toutes les représentations négatives de peur et de doute. Je fais pleinement confiance à la bonté de Dieu. La paix de Dieu parcourt mon esprit et mon âme comme un flux magnétique et je sais que Dieu m'accompagne partout où je vais, que son sens de la droiture guide mes pas. Il émane de ma personne une chaleur humaine à laquelle mes professeurs et les gens de mon entourage seront sensibles. Cette chaleur se transmettra à mes semblables, j'en suis convaincu. Dieu m'aime et veille sur moi et comme je me rapproche de lui il se rapproche de moi. »

L'étudiant avait fait peau neuve et retourna à l'université métamorphosé. Il m'écrivit quelque temps plus tard : « Je comprends maintenant le sens de la phrase "la lumière chasse les ténèbres", et je sais ce qu'il advient d'une énigme lorsqu'on trouve la solution. Je récite régulièrement la prière. Je renais à la vie. »

Le futur médecin aurait pu ajouter qu'il savait aussi ce qu'il advient des poches purulentes de l'apitoiement sur soi, de la culpabilisation et du besoin d'automutilation enkystées dans le subconscient, quand on les crève et qu'on déverse dans ces eaux fétides de l'esprit le courant purificateur de la lumière, de l'amour et de la vérité.

L'étudiant avait découvert deux entités à l'intérieur de lui-même : l'être naturel et biologique – celui des cinq sens – qui est habituellement sous le pouvoir du déterminisme génétique et culturel, et l'être spirituel qui est conscient de son essence divine. Il célébra la force universelle et infinie qui était en son for intérieur et s'appliqua à se concentrer mentalement et psychiquement sur cette présence divine pour qu'à l'avenir ses pensées, ses sentiments, ses convictions, ses actions et ses réactions soient orchestrés par elle. La conséquence fut très nette : sa vieille personnalité disparut pour laisser place à un homme nouveau en Dieu.

161

Les pensées se manifestent toujours par binômes. Celles qui sont de nature agressive comme la haine et l'hostilité et qui caractérisent l'être régi par les cinq sens (l'organisme végétatif cramponné à sa vie matérielle et biologique), doivent être pulvérisées et laisser régner et se développer la pensée du Dieu qui nous habite. *Et moi, une fois élevé de terre, j'attirerai tous les hommes à moi* (Evangile selon saint Jean 12, 32).

RÉSUMÉ

1. Les pensées fonctionnent de manière binaire et antinomique. Nous sommes tous conscients par exemple de l'existence du jour et de la nuit, du flux et du reflux, du nord et du sud, de caractères masculins et féminins, du positif et du négatif. Nous avons tous connaissance des notions d'intérieur et d'extérieur, du salé et du sucré, du mouvement et de l'immobilité, de la santé et de la maladie, de la tristesse et de la gaieté.

2. Tous les extrêmes rencontrés dans la vie dérivent d'un principe unique qui est d'origine divine. Et ce sont justement ces caractéristiques opposées dont la gamme nous permet d'établir des comparaisons qui nous servent de repères et nous donnent la sensation d'exister.

3. L'état d'absolu est un sentiment d'unité, une sensation d'immersion dans la totalité. Cependant Dieu, en créant le cosmos, inventa du même coup les contraires pour que nous puissions prendre conscience de nos perceptions et de nos émotions. Cette prise de conscience des fonctions de notre organisme est la source de nos satisfactions et nous aide à appréhender notre dimension divine. C'est en décelant la présence de Dieu en lui-même que l'homme est heureux. Il n'existe qu'un seul Dieu et chaque être humain en est la manifestation incarnée.

4. Un jeune garçon décide d'aller en Irlande, mais les frais du voyage freinent son enthousiasme. Il se concentre sur l'idée du voyage, refoule les doutes qui l'obsèdent ; il les ignore et s'en remet à Dieu. Résultat : le voyage a bel et bien lieu.

5. Une jeune femme désire ardemment se remarier. Pourtant ses réticences font obstacle à ce désir et elle s'en trouve dépitée. Elle redoute de faire les mêmes bêtises que par le passé, lors de son premier mariage. A force de concentration, elle réussit à se détourner de ses pensées angoissantes en projetant en elle-même les qualités qu'elle attend de l'homme idéal. Elle fait pleinement confiance à la sagesse et à la providence divine qui finit par exaucer ses vœux.

6. Par l'entremise de vos habitudes de pensée, de votre imaginaire et de vos convictions vous êtes vous-même l'instigateur des schémas de comportement qui vont régenter votre univers. Le programme positif et négatif inscrit dans votre subconscient va se mettre en marche sous la forme des expériences personnelles et des événements qui sont la toile de fond de votre existence. Incorporez à la substance de votre subconscient les notions de bienveillance et d'amour, écrivez en lettres d'or les idées de succès et d'harmonie sur les pages de ce registre ; la providence vous accordera tout cela.

7. La prétendue « mauvaise série » enregistrée par un voyageur de commerce est due en réalité à son propre désir de douter de lui-même et de s'accuser. Il convertit en son contraire cette attitude mentale négative en découvrant la force qui est en lui et en souscrivant à l'idée que la sagesse de Dieu est capable de conduire sa destinée et de lui insuffler une énergie nouvelle qui sera le facteur de sa réussite.

8. Un étudiant en médecine, traumatisé par l'angoisse d'échouer à son examen terminal, voue une haine profonde à l'un de ses professeurs et se trouve au bord de l'« explo-

sion ». Il acquiert la conviction que cette peur résulte de convictions inconscientes profondément ancrées en lui qui sont liées à son propre désir d'échec, à sa volonté de se sous-estimer et de se punir. En surmontant ses frayeurs il se métamorphose et renaît à la vie.

9. Vos pensées sont toujours doubles : celles qui sont de nature agressive doivent être éradiquées, les autres, celles qui nous lient à Dieu, doivent être éveillées et animées de vie.

12

UNE ÉNERGIE QUI RECHARGE
LES BATTERIES MENTALES ET PSYCHIQUES

Dans notre monde agité, les turbulences externes nous plongent trop souvent dans l'angoisse. Pour nous préserver de cette influence, nous devrions recharger plus souvent nos batteries intérieures à l'aide de la force infinie. Les cas qui suivent illustrent la manière de procéder.

Comment se concentrer
sur les aspects fondamentaux de l'existence

Un homme d'affaires avec lequel je discutais un jour finit par m'avouer : « Comment se sentir en paix dans ce monde tourmenté ? Je sais que le calme permet de résoudre bien des problèmes, mais je me sens perturbé, je suis inquiet, les informations et toute la propagande divulguées par la presse, la radio et la télévision me rendent à moitié fou. »

Je lui répondis que je voulais bien essayer, s'il le désirait, de mettre de l'ordre dans son esprit, de pratiquer une médecine spirituelle susceptible de remédier à ses soucis et de lui procurer la quiétude qui permet de résoudre les problèmes à tête reposée. Pour commencer, je lui fis entendre que si ses pensées tournaient des journées entières autour de la guerre, de la criminalité, de la maladie, des accidents et des catastrophes, il était inévitable que son esprit glissât dans un univers de découragement et d'inquiétude. Si, en revanche, il était à même de fixer son attention, ne fût-ce qu'un instant, sur les lois et les principes qui commandent toute vie dans le cosmos, il s'en trouverait soulagé en vertu du même mécanisme et accéderait à un climat psychique fait de sérénité intérieure.

Cet homme rassasia donc son âme et son esprit des postulats suivants trois fois par jour : *Les cieux racontent la gloire de Dieu, et l'œuvre de ses mains, le firmament l'annonce* (Psaume 19, 2). « Je sais qu'une sagesse toute-puissante oriente les astres sur leur orbite, que cette sagesse règle les mécanismes cosmiques. Je sais qu'il existe une loi divine et un ordre divin qui fonctionnent avec une exactitude absolue et façonnent tout notre univers. Cette mécanique divine donne vie aux étoiles et détermine la trajectoire des galaxies dans l'espace. L'univers entier est soumis au contrôle de Dieu. Je m'abandonne maintenant au calme qui m'envahit en contemplant ces vérités éternelles. »

C'est un dessein arrêté : tu assureras la paix, la paix qui t'es confiée... (Isaïe 26, 3).

Je vous laisse la paix, je vous donne ma paix, je ne vous la donne pas comme le monde la donne. Que votre cœur ne se trouble ni ne s'effraie (Evangile selon saint Jean 14, 27).

Car Dieu n'est pas un Dieu de désordre, mais un Dieu de paix (Première Epître aux Corinthiens 14, 33).

Que la paix de Dieu soit dans vos cœurs... (Epître aux Colossiens 3, 15).

L'homme d'affaires réussit à s'évader de ses soucis quotidiens et de ses angoisses, à fixer son attention sur les vérités et les principes de vie et à se concentrer sur ceux-ci. Il oublia les petites choses pour se consacrer aux grandes et se mit à réfléchir aux aspects sublimes, aux côtés généreux de la vie. Lorsqu'il cessa de considérer les troubles et les fléaux du monde, et même d'en parler, ses inquiétudes et ses peurs se dissipèrent. Dans un monde extérieur soumis à des perturbations il put cultiver sa paix intérieure. Il avait décidé de laisser régner dans son cœur la paix de Dieu. A la suite de ce nouvel état d'esprit ses affaires commencèrent à prospérer car il était désormais en mesure de prendre des décisions judicieuses.

Une mère tourmentée met un terme à ses « malaises cardiaques »

Une jeune ménagère qui souffrait d'insomnie et de tachycardie était convaincue d'avoir une maladie cardiaque. Elle se sentait souvent déprimée et était irascible à l'égard de son mari et de ses enfants. Les titres des médias la rendaient furieuse et elle n'arrêtait pas d'écrire des lettres venimeuses au membre de son parti qui siégeait au Congrès pour critiquer ses décisions. Sur ma recommandation elle se fit examiner par un cardiologue qui ne décela aucune anomalie d'ordre organique, mais plutôt une tendance à somatiser due à ses conflits psychiques et une agressivité très prononcée à l'encontre du monde extérieur.

A la suite de quoi je déclarai à cette femme qu'elle pouvait remédier à ses contrariétés et à ses débordements affectifs en se conformant à un certain mode de prière. Si elle réussissait à puiser dans l'énergie infinie que Dieu met à notre disposition, une sensation d'harmonie, d'amour et de paix l'envahirait car elle entrerait ainsi en contact, dans ces moments de quiétude contemplative, avec les attributs de Dieu. J'ajoutai qu'elle devrait s'attendre à une réaction automatique de son moi profond qui chercherait à lui assurer plus de self-control, de calme et de sérénité. En outre elle éprouverait à l'égard des autres un sentiment d'amicale bienveillance. J'insistai bien sur le fait qu'elle devait impérativement cesser de se lamenter sur son sort et de mettre ses soucis en rapport avec l'actualité internationale, car cette attitude ne faisait qu'accroître ses problèmes réels et aggraver son état. En effet, on ne cesse d'activer mentalement ce que l'on observe.

Elle médita les versets bibliques qui suivent, convaincue que les vérités qu'ils contiennent se fixeraient dans son subconscient et la rendraient heureuse et libre :

Ne t'ai-je pas donné cet ordre : sois fort et tiens bon ! Sois sans crainte ni frayeur car Yahvé ton Dieu est avec toi dans toutes tes démarches (Livre de Josué 1, 9).

En toutes tes voies, reconnais-le et il aplanira tes sentiers (Proverbes 3, 6).

De toute votre inquiétude déchargez-vous sur lui car il a soin de vous (Première Epître de saint Pierre 5, 7).

Le Seigneur est mon berger, rien ne me manque. Sur des prés d'herbe fraîche il me parque. Vers les eaux du repos il me mène... Devant moi tu apprêtes une table face à mes adversaires, d'une onction tu me parfumes la tête, ma coupe déborde. Grâce et bonheur me pressent tous les jours de ma vie ; ma demeure est la maison de Yahvé en la longueur des jours (Psaume 23, 1-2 et 5-6).

La femme en question se souvint qu'elle était épouse et mère. Elle concentra son attention sur cette nourriture spirituelle et trouva rapidement le chemin de la paix intérieure qui est supérieure à toute raison.

Comment garder un tempérament heureux

De nombreux hommes d'affaires et des professionnels adeptes des confessions religieuses les plus diverses m'ont dit qu'il leur arrivait à intervalles réguliers de participer à des séminaires de recueillement au cours desquels ils écoutaient des conférences sur Dieu, le sens de la prière ou l'art de la méditation ; durant ceux-ci, ils s'astreignaient même à une cure de silence. Chaque matin, on leur prescrivait un programme commun d'exercices contemplatifs qui leur servait de fil conducteur pour la journée. Après la méditation matinale, ils devaient réfléchir au contenu des prières et l'intérioriser, à la suite de quoi ils étaient tenus de rester silencieux pendant plusieurs jours, même à l'occasion des repas.

Ils me déclarèrent à l'unanimité que ces périodes d'introspection leur permettaient de se ressourcer, de se fortifier intérieurement, de donner une impulsion nouvelle à leur énergie vitale. La reprise de leur activité professionnelle ne les empêchait pas de consacrer chaque matin et chaque soir quinze à vingt minutes à une séance de total repli sur soi. Ils ont rencontré la paix dont il est question dans la Bible : *Que la paix de Dieu qui est supérieure à toute raison préserve vos cœurs et vos sens* (Epître aux Philippiens 4, 7).

Ces personnes peuvent de cette manière recharger leurs batteries mentales et psychiques et sont donc capables de reprendre leur travail, le cœur plein de confiance et de courage. Elles peuvent désormais affronter les difficultés, le stress et les démêlés de la vie quotidienne. Elles savent comment se revigorer en s'immergeant sereinement dans l'infini qui, selon R.W. Emerson, « est à portée de main comme une étendue calme et souriante ». L'énergie, la vitalité, l'inspiration, la providence, la sagesse sont les fruits du silence, d'un esprit contemplatif tourné vers Dieu. Les personnes dont je m'inspire ici ont appris à se détendre et à se défaire d'un comportement égocentrique. Elles reconnaissent, admirent et utilisent la sagesse et l'énergie de Dieu qui a créé toutes choses visibles et invisibles, qui commande toute vie pour l'éternité. Elles ont décidé d'emprunter le chemin de la sagesse. *Ses chemins sont chemins de délices, tous ses sentiers, de bonheur* (Proverbes 3, 17).

Le secret de la sérénité et de l'équilibre

Si je vous fais cadeau d'un livre vous devez tendre la main pour le recevoir. Il en va de même pour les richesses divines : elles sont à portée de main, mais exigent un effort de votre part pour que vous puissiez les saisir. Dieu est à la fois celui qui donne et la chose donnée ; quant à vous, vous êtes le bénéficiaire. Ouvrez simplement votre cœur et votre esprit et laissez-vous envahir par la paix de Dieu qui s'insinuera dans tout votre être car Dieu est source de paix.

Lisez les versets du huitième Psaume. Contemplez les vérités qu'il énonce. Vous sentirez alors le puissant courant de la vie, de l'amour, de la sérénité, de l'équilibre intérieur se répandre dans les régions desséchées de votre esprit, les irriguer et apporter la paix à votre âme tourmentée :

> *A voir ton ciel, ouvrage de tes doigts,*
> *la lune et les étoiles que tu fixas,*
> *qu'est donc le mortel, que tu t'en souviennes,*
> *le fils d'Adam, que tu le veuilles visiter ?*
>
> *A peine le fis-tu moindre qu'un Dieu ;*
> *tu le couronnes de gloire et de beauté,*
> *pour qu'il domine sur l'œuvre de tes mains ;*
> *tout fut mis par toi sous ses pieds.*

(Psaume 8, 4-7)

Vous gagnerez en force, en confiance et en sécurité si vous méditez les vérités éternelles contenues dans ce psaume, si vous réfléchissez au caractère incommensurable de l'univers auquel nous appartenons, à l'esprit infini qui est au cœur de la sagesse divine, qui crée et anime chacun de nous. Réalisez que, comme nous le dit le roi David, vous êtes le maître de vos pensées, de vos sentiments, de vos actions et de vos réactions. Cette certitude vous valorisera, vous conférera une sensation de dignité et de force intérieure dans laquelle vous puiserez l'énergie dont vous avez besoin pour mener à bien votre travail et avoir une vie exaltante.

Comment résoudre ses conflits intérieurs

Un jour, à Beverly Hills, un homme m'aborda dans la rue. « Croyez-vous que je pourrai retrouver l'équilibre ? », me demanda-t-il. « Depuis plus de deux mois je suis en désaccord avec moi-même. » Cet homme était déchiré par des conflits intérieurs. Il était dévoré par ses angoisses et ses doutes et en même temps sujet à la bigoterie. Tout cela le rendait haineux. Il en voulait à sa fille d'avoir épousé un homme d'une autre religion et il vouait à son gendre une franche hostilité. Il ne parlait plus à son fils parce que celui-ci s'était engagé dans l'armée alors que lui-même faisait partie d'un mouvement pacifiste. Et pour couronner le tout, sa femme avait demandé le divorce.

Bien sûr, je ne pus guère lui consacrer de temps au coin d'une rue. Mais je lui dis sommairement qu'il aurait dû se réjouir de la situation : sa fille avait épousé l'homme de ses rêves, et elle avait bien fait car l'amour ne se laisse pas arrêter par les barrières raciales ou confessionnelles ou toute autre forme d'idées préconçues. Je lui recommandai en outre d'écrire à son fils qu'il l'aimait et priait pour lui. Il était impératif qu'il respectât la décision de ce dernier et n'intervînt dans la vie du jeune homme que pour lui manifester sa bénédiction sous la forme de vœux généreux. Je conclus en lui disant que sa discorde conjugale, à en juger par ses propos, était à mettre au compte d'une crise de l'enfance non résolue. Son rapport à sa mère fut sans nul doute perturbé et il cherchait dans la personne de sa femme un substitut maternel.

171

Je lui écrivis sur une fiche l'une de ces vérités impérissables et source de guérison en lui demandant de s'en imprégner au plus profond de sa conscience : *Celui qui a le cœur ferme, à celui-là tu accordes la paix car tu es digne de confiance.* Je lui conseillai de se tourner vers Dieu avec ferveur pour sentir couler dans son cœur le fleuve de l'amour, de la vie et de la quiétude. Chaque fois qu'il pensait à l'un de ses proches il devait se dire : « Dieu emplit son âme et la mienne de sa paix. »

Peu de temps après, je reçus une lettre dans laquelle il me disait : « La vie était devenue un enfer. Le matin je n'arrivais pas à ouvrir les yeux et, le soir, je devais prendre des barbituriques pour pouvoir m'endormir. Depuis notre rencontre je ne cesse de m'exclamer, au nom de ma famille et de moi-même : "Que Dieu me garde en paix car je m'en remets à lui." Depuis lors une mutation incroyable s'est produite en moi. La vie est devenue une source de joie miraculeuse. Ma femme a renoncé au divorce, nous revivons ensemble. J'ai écrit à ma fille, à mon gendre et à mon fils si bien qu'un climat de paix, d'harmonie et de compréhension mutuelle a pu s'établir entre nous. »

Cet homme s'est contenté de gommer toute la haine et toute la rancune qui obscurcissaient son cœur. En se fiant à Dieu, en se laissant imprégner par le flux de paix qui s'est ramifié en lui, il a réussi à régler ses problèmes à l'aune de la providence divine.

Ne soyez plus « victime des circonstances » !

Durant l'été, j'eus le plaisir de participer à un séminaire à Denver, au Colorado. A la fin de la première conférence, un homme vint me voir en disant : « Je suis dépité et malheureux. Je me sens frustré à tous les niveaux. Je vendrais bien mon ranch pour partir, mais j'ai l'impression d'être dans une prison. Je suis enlisé ! Je suis victime des circonstances. »

Ma réponse fut la suivante : « Si je vous hypnotisais maintenant vous croiriez être ce que je vous suggère car votre conscience, qui juge, ordonne et organise, serait court-circuitée et votre subconscient accepterait mes suggestions sans résistance. Si je vous demandais par exemple d'être un boy-scout à la recherche d'un malfaiteur, vous partiriez dans la montagne pour retrouver sa piste. Si je vous demandais d'être un détenu qui rêve d'évasion, vous auriez réellement l'impression d'être derrière les barreaux ; vous répondriez à mes suggestions en mettant tout en œuvre pour vous évader, vous escaladeriez les murs après avoir dérobé le trousseau de clés du gardien pour retrouver la liberté. Pourtant, durant tout ce temps, vous vous trouveriez ici, dans cette pièce, libre comme l'air. Vos actes seraient purement et simplement déclenchés par la réceptivité de votre subconscient à mes suggestions.

« Vous avez vous-même fait de nombreuses suggestions à votre subconscient : impossibilité de vendre votre ranch, sentiment d'emprisonnement, inutilité d'un déménagement à Denver, vanité de toute initiative si bien que vous vous retrouvez cloué sur place. Votre subconscient n'avait pas d'autre issue que d'accepter cette démotivation car il est aveugle à tout, sauf à ce qu'on lui communique. En fait vous vous êtes hypnotisé vous-même ! Vous vous êtes ligoté, vous vous êtes muselé vous-même et vous êtes la victime consentante de ces convictions erronées. Voilà l'origine de votre dilemme. »

En guise de conseil, je lui rappelai les sagesses ancestrales : *Métamorphosez-vous par un renouveau de vos sens. Faites pénitence, le royaume de Dieu est proche.* Faire pénitence signifie rentrer en soi, méditer, remodeler sa pensée à la lumière des fondements de l'esprit et des vérités éternelles. Je dis à mon interlocuteur d'avoir foi en l'avenir et de se fier à la vie car c'est son équilibre intérieur qui lui permettrait d'obtenir satisfaction. Il devait, lui dis-je, se préparer mentalement à recevoir les bienfaits de l'existence ; c'est ainsi qu'il fallait comprendre l'imminence du royaume de Dieu. L'harmonie, le bien-être, la santé, la paix étaient à proximité à condition de vouloir ces dons divins et d'être convaincu de l'authenticité de son désir.

Je lui délivrai une sorte d'« ordonnance », une prière qu'il devait réciter aussi souvent que possible :

« Je prends conscience des réalités intangibles et éternelles de Dieu. Elles me fascinent et s'emparent de tout mon être, elles tempèrent mon esprit. Je vois désormais en pensée cette évidence fondamentale : Dieu est en moi, il chemine et parle à travers moi. Mes pensées se calment, je suis convaincu que Dieu siège en moi. Je le sais, j'en suis sûr. *Car il plaît à ton Père de te faire don de son royaume. Demande grâce au Seigneur et espère en lui ; il t'écoutera.*

« En vertu de la sagesse infinie qui m'habite, j'attirerai l'acquéreur qui souhaitera acheter mon ranch pour y vivre dans la prospérité. Un échange aura lieu qui plaira à Dieu et dont nous tirerons profit tous les deux. L'acheteur est loyal et le prix de vente honorable. Les forces profondes de mon subconscient nous mettront en présence l'un de l'autre sous les auspices de la divine providence. Je sais que j'aurai mon dû si je me conduis droitement. Si une vague d'inquiétude venait à me submerger, je prononcerais haut et fort : "Ces choses-là ne me touchent pas." Je sais que je réussirai à inverser la tendance et à orienter mon corps et mon esprit vers le calme, la tranquillité, la détente de toute ma personne. Je crée un monde nouveau de liberté, de sécurité et d'aisance. »

Quelques semaines plus tard il m'appela pour me dire qu'il avait vendu son ranch et qu'il pouvait partir à Denver. Il n'était plus prisonnier de son esprit ou victime des circonstances extérieures. Il reconnut que, par ses pensées négatives, il s'était lui-même cloîtré dans son doute et que cet enfermement mental avait constitué une sorte d'hypnose pratiquée sur lui-même.

Pour lui, il était clair désormais que notre pensée est créatrice, que toutes ses déceptions furent le produit de suggestions externes qu'il avait cautionnées au lieu de les rejeter. Il était également évident que les circonstances et les phénomènes extérieurs, les conditions de vie ne sont jamais les causes premières des succès ou des défaillances. Il se complaisait dans le climat oppressant des angoisses qu'on lui suggérait au lieu de le bannir, car il n'avait pas perçu que ses pensées négatives était la racine même de son désarroi. Des méditations approfondies lui donnèrent la force de penser la vie en termes plus constructifs et lui démontrèrent qu'il possédait la faculté de faire des choix pertinents dans l'éventail des possibilités.

Gardez votre équilibre intérieur quand les soucis, les peurs ou les doutes vous assiègent et dites avec foi : « Je lève les yeux vers les montagnes d'où viendra mon secours. Tout cela m'est étranger. »

RÉSUMÉ

1. Si vous passez votre journée à ruminer les méfaits qui frappent le monde (crimes, catastrophes, maladies, tragédies en tous genres) vous serez vous-même contaminé par ces pensées morbides et la mélancolie s'installera dans votre vie. Soyez sensible à la justice et à l'ordre divins qui dominent le monde, votre vie s'en trouvera stimulée et vous franchirez le seuil d'un univers où vous n'aurez que respect pour le caractère sublime de Dieu présent en toute chose.

2. Faites retraite dans le silence de votre monde intérieur et contemplez les lois et les principes immuables qui s'enracinent en toute chose. Dirigez votre esprit vers Dieu, obstinément, votre cœur se trouvera allégé de son fardeau et vous atteindrez l'objet de vos désirs.

3. Evitez de remuer les symptômes de vos maladies, de vous noyer dans vos soucis et vos contrariétés ; ils s'évanouiront d'eux-mêmes. Concentrez-vous sur les aspects grandioses de l'existence, unissez-vous à Dieu.

4. Les aigreurs, l'hostilité, la rancune vont se dissoudre dans le néant si vous pratiquez l'art de la méditation qui consiste à s'élever le plus haut possible pour contempler les évidences divines.

5. Les rouages de votre esprit peuvent s'apaiser si vous récitez lentement le vingt-troisième Psaume. Réfléchissez ensuite pendant quinze à vingt minutes à la signification que ces versets ont pour vous. Vous sortirez vainqueur des défis que la vie met sur votre route.

6. Le bien, au sens cosmique du terme, est quelque chose qui se donne et dont vous êtes le bénéficiaire. Par votre activité mentale et psychique, ouvrez les vannes qui vont laisser couler dans tout votre être un flux d'harmonie divine. Dieu est source d'une paix qui vous est destinée. Pourquoi attendre plus longtemps ? Agissez dès maintenant pour la saisir !

7. Le huitième Psaume est tout à fait approprié pour insuffler à votre âme toute la confiance, tout l'équilibre, toute la dignité et tout le respect du sacré dont elle a besoin. C'est en quelque sorte un remède miraculeux qui vous permettra d'accéder à la sérénité voulue.

8. Quand deux personnes s'aiment, mais sont d'appartenance religieuse différente, elles doivent se marier et n'obéir qu'à leur amour qui renversera toutes les barrières et tous les dogmes institutionnels.

9. Vous n'êtes la victime ni des circonstances extérieures, ni de votre héritage génétique ou socio-culturel. Pensez la vie en termes positifs. Vous obtiendrez alors, par le biais de l'énergie créatrice de votre esprit, des résultats conformes à la nature de votre pensée.

13

LA TUTELLE DE LA PROVIDENCE

Il existe dans tout l'univers un principe tutélaire d'origine divine. Il agit aussi en vous-même. Si vous utilisez la sagesse infinie qui est inhérente à votre personne, vous pourrez bénéficier de sa sauvegarde. Vous pourrez ainsi vivre des événements et faire des expériences qui dépasseront vos rêves les plus audacieux. Dans ce chapitre je vais tenter de décrire le fonctionnement de ce principe pour que vous-même en tiriez parti et puissiez connaître des moments exaltants.

Une femme attire à elle l'homme de ses vœux

Une jeune secrétaire, deux fois divorcée, me dit un jour : « Je ne veux pas faire la même faute une troisième fois. Les deux premières fois, je n'ai jugé que les apparences, c'est évident. Maintenant, je doute de mes jugements. Dites-moi, s'il vous plaît, si cette prière est la bonne. »

Elle avait rédigé un texte dont je vous livre le contenu : « La sagesse infinie qui m'habite fera venir à moi l'homme dont j'ai besoin. Il est équilibré, très tendre, généreux et a des centres d'intérêt intellectuels. Je contribuerai à son bonheur et à sa joie, et entre nous régneront l'harmonie, la paix et la compréhension. Je suis convaincue que la providence divine conduira vers moi l'homme de mes rêves et je sais qu'avec le secours de Dieu les erreurs ne sont plus possibles. J'attends, persuadée que je vais faire la connaissance du partenaire propice. Je sais que mes prières sont en train d'agir et je chemine sur la terre dans la lumière de cette conviction. »

Je ne pus que féliciter la jeune femme pour la qualité de sa prière et pour la confiance qu'elle plaçait dans l'énergie divine qui était en elle. De fait, la providence divine agit en sa faveur : elle ne tarda pas à rencontrer l'homme qu'il lui fallait et j'eus le plaisir d'apprendre l'année même la nouvelle de leur mariage. C'est un couple sans histoires qui vit heureux depuis cette époque.

Comment placer une tierce personne sous la sauvegarde de la providence

Vous pouvez utiliser la force infinie pour vous-même ou bien pour quelqu'un d'autre, qu'il s'agisse d'un proche parent, d'un ami intime ou d'un étranger. Vous devez simplement être animé par la conviction que vos pensées engendreront les conséquences souhaitées, croire de manière inébranlable à la concrétisation de vos vœux. J'ai utilisé cette énergie en faveur de tierces personnes avec des résultats stupéfiants.

Une fois, par exemple, un jeune ingénieur m'appela : « La firme pour laquelle je travaille est vendue à une société plus importante et on m'a fait savoir qu'il n'y avait pas de place pour moi dans la nouvelle structure. Je serais heureux si vous pouviez intervenir par vos prières. »

Je le lui promis en lui déclarant qu'il disposait dans son subconscient d'une sorte de gouvernail divin qui lui ouvrirait les portes de son épanouissement personnel s'il croyait à la réalisation de ses désirs de manière aussi ferme qu'il était convaincu de l'existence de la loi de Boyle-Mariotte ou de la loi d'Avogadro ou de n'importe quel autre mécanisme de la physique.

Je fis appel aux lois de la providence en m'imaginant l'ingénieur en train de me dire : « Je n'en reviens pas, j'ai trouvé une place formidable avec un très bon salaire. Ça m'est tombé du ciel, comme par miracle. » Pendant les trois ou quatre minutes qui suivirent la conversation téléphonique je me concentrai sur cette image, puis j'oubliai l'ingénieur, assuré qu'une réaction se produirait. Il m'avait promis de son côté de croire de tout son cœur à la réalisation de son vœu le plus cher.

Dès le lendemain il me rappela pour me dire que, « comme par miracle », une entreprise de travaux publics lui faisait une offre alléchante.

Il existe un esprit universel unique qui est d'origine divine, et ce que je m'étais représenté subjectivement, ce à quoi j'avais cru s'était concrétisé dans la vie de l'ingénieur. Si vous êtes profondément convaincu qu'une chose va arriver, elle se produit effectivement.

Laissez-vous téléguider

Prenez conscience du fait que Dieu est une source de vie ininterrompue et que vous êtes une parcelle de vie éternelle rendue visible, un fragment d'esprit divin. Ceci est le fondement qui vous permet de vous construire en vous appuyant sur l'énergie inépuisable qui vous traverse. Un principe de vie d'essence divine cherche à s'extérioriser à travers vous. Vous êtes un phénomène unique qui se distingue de tous ses semblables. Vos pensées, vos paroles, vos actes portent la marque de cette individualité. Il n'existe pas de réplique de vous-même sur la terre car l'esprit de Dieu qui s'incarne dans l'homme ne se répète jamais. Prenez conscience de vos dispositions particulières, de vos dons ! Vous pouvez entreprendre des choses originales, totalement liées à votre personne et que nul autre sur terre ne pourra réaliser parce que justement vous existez. Vous êtes sur terre pour aller au bout de vos possibilités, pour laisser libre cours à vos désirs profonds, pour que votre existence atteigne un état de plénitude. Vous n'êtes pas interchangeable car vous êtes un élément du projet divin. Dieu a besoin de votre présence, là où vous êtes, sinon vous n'auriez pas d'existence. Il est omniprésent, et d'abord à l'intérieur de vous-même où sa vitalité et ses attributs sont disponibles. Ayez confiance, utilisez votre imagination et votre pouvoir de choisir par vos pensées et vos convictions. Comme un artiste, vous élaborez, vous modelez, vous forgez votre destinée en prenant appui sur vos idées et vos certitudes.

Sauvé par son intuition

Le docteur Harry Gaze, un écrivain aujourd'hui disparu et que j'ai bien connu de son vivant, se fiait aux jugements de la providence dans toutes ses entreprises. Un jour qu'il voulait prendre un avion, il entendit un murmure intérieur qui lui déconseillait de le faire. Ses bagages étaient déjà à bord. Il décida donc de les faire redescendre et refusa de s'embarquer. Il eut raison de suivre son intuition car l'appareil s'écrasa et il n'y eut pas de rescapés.

Son passage de la Bible préféré disait ceci : *Il a pour toi donné ordre à ses anges de te garder en toutes tes voies. Sur leurs mains ils te porteront pour qu'à la pierre ton pied ne heurte* (Psaume 91, 11-12).

Comment agir judicieusement
en suivant son intuition

Vous serez guidé par Dieu si vos motivations sont justes et si vous avez la volonté profonde d'agir en conséquence. Si vos pensées sont marquées par l'équité, si elles sont en conformité avec la règle d'or et régies par un sentiment de bonté bienveillante à l'égard des autres, une paix intérieure et un équilibre harmonieux illumineront votre vie. Ce sentiment d'apaisement et de tempérance vous permettra de faire les bons choix dans toutes les circonstances de la vie. En souhaitant aux autres la même chose qu'à vous-même – principe de la règle d'or – vous pratiquerez l'amour et la bienveillance. Telle est la condition préalable à tout espoir de santé, de bonheur et de succès.

Un chef d'entreprise qui était très pris par son activité et avec lequel j'avais sympathisé me confia un jour : « On dit que le secteur du bâtiment est en crise, mais je n'arrive pas à recevoir tous les clients désireux de faire construire. » Il ajouta qu'il avait commis de nombreuses bévues par le passé et qu'à deux reprises il avait perdu une petite fortune en spéculations malheureuses. Mais six ans auparavant mon livre *La Puissance de votre subconscient* lui était tombé entre les mains. Il l'avait lu d'une seule traite, l'analysant en détail et appliquant les principes décrits. Il me montra sa prière quotidienne qu'il avait scrupuleusement dactylographiée sur un bristol et qu'il portait en permanence sur lui :

« Je me pardonne mes erreurs passées et je n'en fais le reproche à personne. Tous ces égarements m'ont servi de marchepied vers le succès et la prospérité. Je crois expressément que Dieu me guide en toute circonstance et que tout ce que je fais est juste. Je sens, je crois et je sais que je suis dirigé, soutenu et protégé dans toutes mes entreprises, que je ne cesse de m'épanouir et de progresser. J'agis et je pense équitablement et je sais que mon subconscient est animé d'une sagesse infinie qui me répond. Je donne à mes clients le meilleur de moi-même. Un guide intérieur stimule ma pensée et ma politique des prix est honnête. J'identifie ce qui doit être fait et je m'y conforme. J'attire à moi les personnes qui s'harmonisent le mieux avec mon tempérament. Je sais que ces pensées s'impriment dans mon subconscient et y façonnent un schéma de comportement. Je crois dur comme fer que mon subconscient réalisera automatiquement ce qui correspond à mes habitudes de pensée. »

L'entrepreneur récite cette prière tous les jours et il se sent conduit de lui-même vers le bien. A l'instar du roi Midas, il semble avoir la faculté de changer en or tout ce qu'il touche. En six ans, il n'a pas commis d'erreurs graves, n'a plus enregistré de pertes et n'a pas eu à affronter des conflits au sein de son entreprise. De fait, il est comme téléguidé. Vous aussi, vous pouvez vous fier au guide qui est en vous ! Et n'oubliez jamais que votre subconscient réagit conformément au contenu de vos pensées conscientes et de votre imagerie mentale.

Un signe de la providence lui révèle la mesure de son talent

Un jeune homme, qui avait voulu être musicien, comédien et homme d'affaires, avait échoué partout. Il se plaignit à moi plein d'amertume : « Je rate tout ce que j'entreprends ! »

Je lui expliquai que la solution de son problème se trouvait en lui-même, qu'il pourrait s'épanouir vraiment, être heureux et connaître le succès s'il faisait ce qui était inscrit au fond de son cœur. Sur mes conseils il pria de la manière suivante :

« Je dispose d'une énergie qui me permet de me propulser en avant. J'ai maintenant la certitude d'être né sous le

182

signe de la célébrité, d'avoir la vocation du succès et d'être un créateur. J'ai l'impression qu'une voie royale s'ouvre devant moi. La sagesse infinie dont je suis le siège va me révéler mes talents cachés et j'attends le déclic qui va se manifester dans ma conscience. Je le repérerai aussitôt. Le succès et le bien-être sont miens. Je fais ce que je désirais et je rends service à l'humanité de la manière la plus utile qui soit. Je suis les instructions de mon guide intérieur, certain que la réponse que j'attends arrivera. Il se produira ce à quoi je crois ! »

Quelques semaines plus tard, le jeune homme ressentit le vif désir d'étudier les sciences humaines et d'embrasser la carrière ecclésiastique. Aujourd'hui, au bout de plusieurs années, c'est un pédagogue de renom doublé d'un pasteur heureux dans son travail ; nombre de personnes s'accordent d'ailleurs à reconnaître la valeur de ses conseils. Il a découvert un principe spirituel capable de diriger sa vie, un principe qui connaissait l'existence de ses dispositions intérieures et les lui a révélées conformément à ses espérances.

Une octogénaire devient inventeur

J'eus il y a peu une conversation captivante avec une octogénaire, très vive sur le plan intellectuel et dont toute la personne est animée par la présence de Dieu. Elle me raconta qu'elle avait pratiqué sur elle-même l'autosuggestion avant le coucher pendant plusieurs semaines en se disant : « Mon moi supérieur va me révéler avec l'aide de Dieu une idée nouvelle qui est implantée dans mon cerveau et que je me représenterai sous la forme d'une image. Cette idée sera une source de bienfaits pour tous les hommes. » Elle vit mentalement le prototype de son invention, fit un dessin de la nouveauté qui était un appareil de nettoyage et le remit à son fils, lequel est ingénieur. Celui-ci élabora un descriptif de l'instrument pour le faire breveter. L'avocat qu'il avait consulté obtint le brevet et une société proposa à la vieille dame cinquante mille dollars pour le rachat de ce dernier, plus une rémunération proportionnelle sur les ventes.

Elle avait cru à la sagesse infinie qui découle de Dieu ; celle-ci l'avait orientée dans ses recherches et lui avait dévoilé la vision exacte de son innovation. Sa prière avait été entendue et tout s'était déroulé tel qu'elle l'avait imaginé.

Quelles que soient votre activité professionnelle ou vos occupations, vous avez le pouvoir de calmer votre esprit, de faire appel à la sagesse infinie de votre subconscient et de solliciter une idée nouvelle qui sera un facteur de progrès pour vous et le monde entier. Vous devez simplement avoir la certitude d'être entendu et la réponse arrivera. *Ainsi, avant qu'ils n'appellent, moi, je répondrai, ils parleront encore que j'aurai déjà entendu* (Isaïe 65, 24). La réponse à toutes vos interrogations est inscrite en vous. Chaque réponse est contenue en germe dans votre esprit car Dieu vous habite et il est omniscient.

Mon propre subconscient
retrouve la trace d'un disparu

Une amie habitant l'Irlande m'écrivit que son frère avait hérité d'une ferme appartenant à un oncle, mais qu'elle ne pouvait le joindre parce qu'il n'avait plus donné signe de vie depuis son voyage en Amérique en 1922. Elle s'informa pour savoir s'il serait possible de le retrouver pour reprendre contact. Elle ne possédait même pas sa photo et avait chargé un avocat irlandais de partir à la recherche du disparu, mais il ne découvrit pas la moindre piste.

Le soir même, je m'assis pour mettre mon esprit au repos et je lus le Psaume 23 dont le caractère sublime permet d'accéder à la quiétude et à la paix intérieure. David confère au Seigneur l'apparence d'un berger qui le conduit sur des prés d'herbe fraîche et vers les eaux du repos. Il faut voir dans ces images la manifestation de la providence divine qui aiguille l'homme au moyen d'une voix intérieure et lui fait vivre des situations qui sont source de paix, de bonheur et de joie. David avait foi en cette providence et les événements de sa vie furent le reflet de ses espérances.

Je méditais la sagesse qui émane de ce psaume en m'abandonnant à mes pensées :

« La sagesse infinie qui fait bouger les planètes sur leur orbite, qui fait se lever le soleil et qui domine tout le cosmos est également présente en moi. Elle sait tout, elle voit tout. Cette sagesse divine sait où le disparu se trouve et nous révélera la réponse. L'homme va rapidement prendre contact avec sa sœur. Il existe un esprit unique qui ne se fragmente pas, qui ignore les notions de temps et d'espace. Je désire que l'adresse de cet homme soit révélée dès que possible à sa sœur et à l'avocat de celle-ci en Irlande. L'esprit universel a déjà décidé de la manière dont s'effectuera la manœuvre, il sait déjà comment répondre à mon souhait. Je le crois, je l'accepte et je sais gré à la providence du bon déroulement des opérations. »

Ce cas est très significatif et enthousiasmant : au bout de quelques semaines je reçus un message en provenance d'Irlande. Mon amie m'écrivait que son frère lui avait télégraphié : il était en route pour l'Irlande afin de lui rendre visite. C'était la première nouvelle de lui depuis avril 1922 ! Il ne s'agissait pourtant aucunement d'un hasard, d'une heureuse « coïncidence ». Nous vivons dans un monde où règnent le droit et l'ordre, où rien n'arrive par hasard. R.W. Emerson affirmait que « tout résulte d'une volonté qui agit en coulisse ». Il existe un lien cosmique de cause à effet. Ma pensée s'était infiltrée dans le subconscient universel dont nous faisons tous partie intégrante, dans lequel notre existence plonge ses racines et dont les ramifications irriguent toutes les parties du cosmos. Par le canal du subconscient universel, le subconscient du disparu avait capté mes pensées et il l'incita à se mettre en rapport avec sa sœur.

Dans une lettre ultérieure, mon amie m'écrivit comment son frère, au cours d'une nuit d'insomnie, avait ressenti le besoin lancinant de revoir sa sœur et le berceau de sa famille. Il obéit sans tarder à cette impulsion en expédiant dès le lendemain matin un télégramme à sa sœur et en réservant une place sur un vol à destination de l'Irlande. En arrivant dans sa patrie d'origine il constata que son comportement intuitif était une véritable bénédiction car il avait hérité d'une superbe ferme et d'un logement confortable.

On ne peut jamais dire à l'avance comment s'effectuera la réponse à une prière. Les Ecritures nous le rappellent : *Autant les cieux sont élevés au-dessus de la terre, autant sont élevées mes voies au-dessus de vos voies, et mes pensées au-dessus de vos pensées* (Isaïe 55, 9).

RÉSUMÉ

1. Vos erreurs sont riches d'enseignement car l'échec est le fondement de la réussite. Il existe un principe providentiel d'origine cosmique qui agit en votre faveur si vous vous fiez à lui.

2. Vous pouvez aussi utiliser ce principe pour le bénéfice d'une tierce personne si vous êtes conscient du fait qu'il existe un esprit unique et que la sagesse infinie qui guide les planètes sur leur orbite oriente aussi la vie de cette personne et canalisera vers elle l'information la plus

propice. La personne en faveur de qui vous intercédez sera la bénéficiaire de votre foi et aura la joie d'entendre la réponse qu'elle attend. Ce à quoi vous croyez se produit toujours.

3. Vous pouvez dépister vos talents cachés et votre place véritable dans l'existence en faisant confiance à votre intuition et en déclarant avec ferveur : « La sagesse divine me révélera mes dispositions et m'indiquera le moyen de les exploiter de manière optimale. J'enregistrerai scrupuleusement les indices que la providence manifestera de façon claire et distincte à ma conscience. »

4. Votre caractère intuitif est à même de vous protéger, de vous avertir d'un danger imminent. Le docteur Harry Gaze avait l'habitude de méditer les versets 11 et 12 du Psaume 91, pour son plus grand bénéfice car la protection divine le préserva d'une catastrophe aérienne.

5. Vous parviendrez à agir de manière juste si vos motivations sont fondées et si vous souhaitez vraiment vous conformer à la règle d'or qu'est la loi de l'amour universel.

6. Nombreux sont ceux qui sont téléguidés sur le plan spirituel car ils sont convaincus d'être spontanément orientés vers le bien. Leur subconscient réagit en fonction de cette certitude. Vous aussi, vous pouvez vous croire et vous sentir guidé en permanence. En réaffirmant cette vérité avec force vous obtiendrez gain de cause.

7. Vous devez acquérir la conviction que vous avez la vocation du bonheur, que vous êtes fait pour mener une vie constructive et exaltante. Fortifiez-vous dans cette certitude : la voie royale qui conduit au succès se déroule devant vous et le principe cosmique qui vous guide, en veillant sur vous, contribuera à votre réussite.

8. Dans le tabernacle de votre esprit vous possédez une mine. Tournez-vous vers la sagesse infinie qui est en vous pour qu'une idée novatrice vous vienne à l'esprit, pour

qu'elle profite à tous et à vous-même. Priez pour que cette idée franchisse le seuil de votre conscience et elle vous apparaîtra sous la forme d'une image claire et distincte. La réponse arrivera. Il faut d'abord avoir la foi. Les événements de votre vie seront proportionnels à vos convictions.

9. Si vous êtes à la recherche d'un ami ou d'un parent disparu, n'oubliez pas que Dieu sait tout, qu'il voit tout. Priez avec ferveur et conviction pour obtenir la réponse à vos questions : « La sagesse cosmique me guidera vers le lieu que je cherche ; Dieu m'assistera dans cette tâche. Ces pensées s'impriment dans mon subconscient qui réagira en conséquence. » A force de méditer vous aurez la joie de voir votre prière exaucée. *En toutes tes démarches, reconnais-le et il aplanira tes sentiers* (Proverbes 3, 6).

14

LA THÉRAPEUTIQUE DE L'ESPRIT

Vous portez en vous un facteur de guérison inépuisable qui connaît tous les processus physiologiques, toutes les fonctions de votre organisme. Si vous vous mettez en osmose avec la force infinie dont il résulte vous pourrez en bénéficier de manière active et efficace. La Bible ne nous dit-elle pas : *Car je suis Yahvé, celui qui te guérit* (Exode 15, 26).

Par votre naissance, Dieu vous confère le droit d'être en bonne santé, débordant de vitalité, robuste et dynamique. Ce chapitre vous montrera de manière vivante quelles initiatives entreprendre pour être et demeurer un individu rayonnant de santé. Je vous recommande d'appliquer régulièrement les méthodes et les techniques décrites car elles ouvrent la voie du bien-être, de l'harmonie et de la sérénité.

*La plénitude physique
est le résultat d'une pensée constructive*

Un adage plein de sagesse prétend que « le monde est le

miroir de l'âme ». Par le terme d'âme il faut entendre le subconscient. Les pensées, les opinions, les croyances que vous implantez dans votre subconscient transparaîtront dans votre vie professionnelle et dans tous les autres domaines de votre existence. La manière dont vous pensez tout le long de la journée exerce un contrôle sévère sur votre état de santé. Si votre esprit se fixe sur les idées de beauté, de perfection et de vitalité vous serez vite envahi par une sensation de bien-être. En revanche, si vous vous abandonnez à des sentiments ténébreux tels que l'inquiétude, la haine, la jalousie, le découragement, la contrariété, votre âme et votre corps s'engourdiront dans un état pathologique ; vous serez mal dans votre peau. Votre vie est le reflet de vos pensées.

Comment libérer l'énergie réparatrice

Une jeune femme qui souffrait de maux de gorge chroniques et était souvent fiévreuse consulta sur mes conseils un médecin de mes amis. Il diagnostiqua une infection, lui prescrivit un antibiotique et une solution pour se gargariser. Pourtant ni les antibiotiques, ni les autres médicaments ne purent faire baisser la fièvre. Pour le médecin, le fait que le traitement restât sans effet était une énigme. Je priai la jeune femme de revenir me voir et lui demandai si elle ne me cachait pas quelque chose. Car, s'il en était ainsi, elle devait cesser d'intérioriser ses problèmes ; ce serait sans doute le premier pas vers une guérison.

A la suite de quoi elle s'exclama : « Je hais ma mère et mon milieu familial. Elle est tyrannique. Elle est dominatrice et veut me contraindre à épouser l'homme qui répond à ses exigences. »

L'état psychologique de cette jeune femme, son hostilité à l'égard de sa mère et le sentiment de culpabilité résultant de sa haine constituèrent les germes réels de sa laryngite et de sa montée de fièvre. Je lui montrai que la relation à sa mère était ambivalente et que l'écartèlement engendré par les sentiments d'amour et de haine qu'elle éprouvait à son égard était sans aucun doute à l'origine de sa maladie. Comme elle ne voulait pas épouser le mari choisi par sa mère, son subconscient lui prêtait main-forte en déclenchant une laryngite aiguë, donnant ainsi à sa conscience un prétexte pour repousser la date de son engagement. En fait, son corps ne faisait qu'obéir à un désir inconscient.

Sur mes recommandations, la jeune fille dit très clairement à sa mère qu'elle ne voulait pas de cet époux car elle ne l'aimait pas. Parallèlement, déterminée à décider de la vie qu'elle mènerait désormais, elle emménagea dans son propre appartement. Je réussis à m'entretenir avec la mère pour lui faire comprendre qu'il était foncièrement nocif de favoriser le mariage de sa fille avec quelqu'un qu'elle n'aimait pas et qu'une union reposant sur tout autre motif que l'amour n'était qu'une tromperie, une farce, une mascarade de mauvais goût.

Elle fit preuve de lucidité, s'expliqua avec sa fille en lui disant qu'elle pouvait épouser qui elle voulait, et que dorénavant elle était libre de ses mouvements. Les relations des deux femmes prirent une autre tournure et évoluèrent vers la conciliation, vers un amour et une bonté partagés. Le rétablissement de la jeune femme fut immédiat et, depuis lors, elle n'a plus de problèmes de santé.

Un financier terrassé par la grippe triomphe de la maladie

Il y a quelque temps de cela, je m'entretins avec un banquier qui me semblait très nerveux. Manifestement il était mal en point, physiquement et moralement. Lorsque je lui demandai ce qu'il avait il me répondit : « J'ai attrapé la grippe asiatique. Je suis complètement K.O. » Je rédigeai pour lui une ordonnance, une sorte de remontant psychique, en insistant bien sur le fait que s'il répétait la formule prescrite avec ardeur, s'il était convaincu de son efficacité, les idées de tonus, de bien-être, de santé s'imprimeraient dans son subconscient, et qu'en conséquence il pouvait s'attendre à des résultats spectaculaires.

Voici la formule en question : « Je suis robuste, je déborde d'énergie, d'amour et d'harmonie. Je me sens traversé par la vitalité, le dynamisme et la joie de vivre. » Il la déclama quatre ou cinq fois par jour à raison de cinq minutes par séance avec la ferme conviction que son état serait conforme à ce qu'il pensait de lui-même.

Au bout d'une semaine il m'appela : « Les remèdes spirituels que vous m'avez administrés ont fait des prodiges. A partir de maintenant je serai vigilant comme un lynx pour que mon image de moi-même soit positive et plaise à Dieu. » Les résultats répondaient à son attente, sa nouvelle vision de lui-même s'était traduite en une forme concrète.

La force régénératrice du subconscient

Un jour une mère vint me voir avec son fils de dix ans qui était asthmatique. Elle me raconta que le garçon n'était jamais sujet à des crises pendant les vacances d'été qu'il passait chez ses grands-parents, mais qu'il était irrémédiablement victime d'une rechute dès qu'il retournait chez lui. Il devait alors reprendre les médicaments que le médecin lui prescrivait pour atténuer ses spasmes.

En parlant seul avec le petit, je découvris que ses parents se disputaient en permanence et qu'il redoutait de les perdre tous les deux et donc de ne plus avoir de foyer. Il était normal à tous points de vue. Tout le mal résidait dans l'atmosphère tendue et nocive qui régnait au sein de sa famille. Lors de l'entretien que j'eus ensuite avec la mère, j'appris qu'elle éprouvait à l'égard de son mari une profonde hostilité et qu'en elle grondait une sourde colère. Elle m'avoua qu'elle avait l'habitude de lancer de la vaisselle sur lui et que lui-même l'avait battue deux fois. Pris au piège de ce feu croisé émotionnel, l'enfant vivait naturellement dans un monde de peur, dans un sentiment constant d'insécurité.

Je réussis à convaincre les parents d'avoir un entretien commun avec moi au cours duquel je leur expliquai que les enfants sont les victimes potentielles d'un climat moral et affectif qui se dégrade au sein du milieu familial. Comme ils avaient mis au monde ce garçon qu'ils aimaient évidemment tous deux, il leur incombait de créer à leur domicile une atmosphère de paix, d'amour et d'harmonie. De plus il fallait lui faire sentir qu'il avait été désiré et qu'il était aimé. Les enfants ont besoin de paix et de sécurité pour s'épanouir. Si la quiétude et l'harmonie régnaient au sein de leur couple, les crises d'asthme tendraient à disparaître car elles étaient un symptôme d'angoisse et d'insécurité.

Je rédigeai pour eux une prière qu'ils devaient réciter en alternance soir et matin, convaincus que par le biais de cet exercice spirituel l'amour de Dieu dissoudrait toute la haine et toute l'hostilité accumulées au fond de leur cœur. La prière était la suivante :

« Nous sommes unis par la conviction que Dieu est actif à l'intérieur de nous-mêmes, que sa force de guérison est immense et nous traverse de part en part. Un rayonnement réciproque d'amour, de tendresse et d'harmonie anime notre vie. Chacun de nous voit dans l'autre la présence de Dieu et nous nous adressons l'un à l'autre en termes affectueux. Notre vie se caractérise par un soutien mutuel sur le plan moral et spirituel car nous savons qu'à travers chacun de nous c'est la lumière, l'amour, la félicité de Dieu qui se manifestent avec toujours plus de vitalité. Chacun de nous célèbre la présence de Dieu dans l'autre et notre vie conjugale se fait chaque jour plus belle, plus heureuse. Notre fils est réceptif à cette affection réciproque et Dieu transparaît dans sa vie. Chaque inhalation laisse pénétrer en lui le souffle pur de l'esprit divin. Ses bronches, ses poumons, toutes ses voies respiratoires sont régénérées par les forces vivifiantes de la guérison. Il pourra désormais respirer librement, sans se sentir oppressé. »

Ils renouvelèrent cette pratique chaque matin et chaque soir, trois ou quatre fois selon les cas, le mari le matin et la femme le soir. Le fils récitait chaque soir : « J'aime mes parents. Dieu les aime et veille sur eux. Ils sont heureux ensemble. A chaque inspiration la paix de Dieu pénètre en moi, à chaque expiration l'amour de Dieu émane de moi. Je dors en paix et je me réveillerai dans la joie. »

Les parents crurent aux vertus miraculeuses de leur subconscient. Au bout de deux semaines les crises alarmantes de leur enfant cessèrent et il put se passer de médicaments. Il me raconta que la septième nuit il fit un rêve. Un homme barbu lui était apparu et lui avait dit : « Petit, tu n'es plus malade. » Il s'était réveillé, avait raconté son rêve à ses parents et avait ajouté : « Je sais que je serai bientôt guéri. »

Lorsque les parents commencèrent à prier l'un pour l'autre et pour leur fils, le psychisme réceptif du garçon enregistra les ondes bénéfiques de paix, d'amour et d'harmonie. Elles eurent un effet bienfaisant en stimulant dans son subconscient les idées de sécurité et d'idéal. Ses parents crurent à la force infinie qui guérit, ils crurent à ce qu'ils firent et savaient exactement pourquoi ils le faisaient. La prière du fils accéléra le processus de guérison. Lorsque l'enfant fut convaincu de la force régénératrice de Dieu, lorsque son amour filial domina son esprit, son subconscient mit en scène le processus de sa guérison par le truchement d'un rêve. Le Seigneur ne nous dit-il pas dans l'Ancien Testament : ... *c'est en vision que je me révèle à lui, c'est dans un songe que je lui parle* (Nombres 12, 6).

Un changement d'état d'esprit
peut métamorphoser la vie

A la fin du XIXe siècle William James, que l'on considère comme le père de la psychologie américaine, fit la constatation suivante : « La plus grande découverte de ma génération réside dans le fait que des individus peuvent changer de vie en changeant d'état d'esprit. » Cela signifie qu'ils peuvent avoir droit à plus de punch, plus de vitalité, de motivation et de joie de vivre s'ils dessinent dans leur subconscient des schémas de pensée qui suggèrent une vie exaltante, qui suscitent l'harmonie, le bonheur, l'énergie, l'enthousiasme et le succès.

L'année dernière j'ai parlé devant quinze cents personnes à Las Vegas. Ma conférence avait pour titre : « Comment agir consciemment sur sa guérison ? » A l'issue de mon intervention un jeune médecin vint me voir et me raconta un événement des plus saisissants. Un soir on l'avait appelé au chevet d'une jeune malade dont les parents étaient d'un profond scepticisme à l'égard de la maladie et des doctrines médicales, quelles qu'elles fussent. Le père lui avait déclaré : « Ma fille Maria est paralysée par l'angoisse, elle a peur de mourir. » Après l'avoir auscultée, le médecin conclut qu'elle avait certes une forte fièvre, mais qu'elle se rétablirait, qu'il ne lui manquait rien de vital et que sa vie n'était nullement en danger. Elle lui avait demandé de prier avec lui et, comme il était pieux, ils avaient récité à voix basse le Psaume 23. Maria avait refusé tout médicament car cela était contraire à ses convictions.

Le médecin m'assura qu'il avait cru dur comme fer à la guérison et que cette jeune personne lui avait donné l'impression d'être en pleine possession de ses moyens. Elle n'était nullement atteinte. Un mois plus tard son frère, un chirurgien réputé qui s'était coupé de sa famille parce qu'il ne partageait pas les convictions religieuses de ses parents et de sa sœur, était venu voir son jeune collègue pour lui demander quelle thérapie il avait appliquée dans le cas de sa sœur. Elle qui jusqu'à présent était régulièrement sujette à des crises d'épilepsie, deux à trois fois par semaine en moyenne, s'était complètement libérée de ses symptômes. Il avait lui-même vainement essayé pendant des années de lui faire prendre les médicaments propres à atténuer ses crises. Le jeune médecin répondit que sa seule thérapie avait consisté à suggérer à la malade qu'elle se rétablirait, qu'elle était hors de danger et que le processus de guérison avait déjà commencé.

Les deux praticiens mirent un certain temps à maîtriser leur stupeur. Le frère de la jeune fille mit un terme à leur mutisme : « Vous lui avez tout simplement administré une transfusion mentale, vous lui avez inoculé la foi dans les forces de guérison d'origine divine. Ces suggestions positives ont trouvé le chemin de son subconscient et celui-ci l'a guérie. »

Mon interlocuteur ajouta : « Si j'avais su qu'elle était épileptique, je n'aurais certainement pas été aussi confiant dans mon comportement et aussi positif dans mon diagnostic. Je réalise maintenant ce qui s'est passé : dans mon esprit je lui prêtais une excellente santé et lui garantissais une guérison prochaine. Cette conviction s'est transmise à son subconscient, a modifié son comportement et a provoqué son rétablissement. En l'espace d'un an Maria n'a pas fait de rechute, elle s'est mariée et a même appris à conduire. »

Un changement d'état d'esprit peut transfigurer la vie ! La Bible ne nous dit-elle pas : ... *Ma fille, ta foi t'a sauvée ; va en paix* (Evangile selon saint Luc 8, 48).

RÉSUMÉ

1. Une force d'origine cosmique vous habite et est susceptible de vous régénérer le cas échéant : elle connaît les

processus physiologiques de votre organisme, elle sait comment vous guérir.

2. Votre état de santé correspond à votre univers mental. Concentrez-vous sur les idées de vitalité, de santé, d'énergie, d'harmonie, de vigueur ; propagez dans votre esprit le contenu de telles pensées. Votre corps sera le reflet de vos habitudes mentales.

3. Les émotions négatives peuvent engendrer de nombreuses maladies. Toutes les sensations destructrices se fixent dans votre subconscient et, du fait de leur nature même, tendent à se manifester de manière négative. Elles sont génératrices de troubles organiques qui peuvent adopter les formes les plus diverses.

4. Dès que vous prenez une décision claire vous résolvez vos conflits psychiques. Si vous décidez de ne plus vous laisser dominer par les autres, de déterminer vous-même votre avenir et de vous en remettre à votre seul jugement, si vous faites preuve d'une attitude conciliatrice et bienveillante à l'égard de votre entourage, votre maladie, que sa nature soit d'ordre corporel ou psychique, peut disparaître rapidement.

5. Votre vie sera à l'image de votre ego. Si vous voulez jouir d'une santé rayonnante, affirmez fréquemment avec conviction : « Je suis robuste, heureux, débordant de vitalité, plein de joie de vivre et de vigueur. » Que ces pensées deviennent pour vous une habitude et vous obtiendrez des résultats prodigieux.

6. Le climat affectif et spirituel qui règne au sein d'une famille exerce une influence sur la santé et l'équilibre général des enfants. Les parents devraient être conscients du fait que leur progéniture se développe en fonction du climat dominant. Chaque parent se doit de célébrer dans l'autre une émanation divine, de prodiguer à son conjoint amour, paix et tendresse. Si le père et la mère prient tous

deux pour que la santé, l'harmonie et la paix retombent sur leur famille, s'ils entourent leurs enfants d'une aura d'amour, de vérité et de beauté, l'atmosphère douce et heureuse qui règne à la maison se reflétera plus tard dans la vie des enfants.

7. L'asthme peut, notamment chez les enfants en bas âge, être un symptôme de conflits affectifs, lorsque des parents s'entre-déchirent par exemple. Ces situations conflictuelles se répercutent généralement sur l'enfant sous la forme d'un sentiment de menace et d'insécurité qui entraîne dans son sillage des crises d'asthme fréquentes ou d'autres affections psychosomatiques.

8. « J'inspire la paix de Dieu, j'expire l'amour de Dieu » me semble être une formule adaptée pour lutter contre l'asthme. Répétez-la si vous en souffrez, aussi souvent que possible avec une ferveur profonde et soyez convaincu du pouvoir régénérant de Dieu.

9. Votre subconscient peut vous dévoiler à travers l'imagerie d'un rêve l'imminence de votre guérison. Ainsi s'implantera en vous la certitude subjective, la conviction intérieure que vous êtes en train de guérir.

10. Si vous prêtez au malade que vous avez devant vous une santé parfaite vous lui communiquerez cette idée qui déclenchera dans son subconscient un regain de vitalité, un renouveau sur le plan physique.

11. En modifiant votre état d'esprit vous modifiez votre vie. Une mutation de votre mentalité peut la transfigurer. Il vous arrivera ce à quoi vous croyez.

15

LA FORCE INFINIE DE L'AMOUR

Dieu est source de vie et la vie cherche à transparaître à travers chacun de nous sous la manifestation de l'harmonie, de la paix, de la santé, de la joie, de la beauté, de la justice ; en d'autres termes sous la forme d'une existence féconde sur le plan matériel et spirituel. Chacun de nous porte en soi la marque de son origine, une trace qui le ramène à la source. Notre devoir, et pour ainsi dire le but de notre existence, consiste à ranimer l'étincelle de ce souvenir primitif et d'en attiser le feu pour retrouver et ressentir l'unité originelle qui nous unit à Dieu, source de toute vie. Chacun d'entre nous a soif de cette union mystique, chacun aspire au plus profond de lui-même à se fondre en elle, à redécouvrir la source intarissable de la vie, le Créateur.

Nourrisson, vous pleuriez quand vous aviez faim. En vieillissant, vous vous êtes aperçu que la nourriture du corps ne suffisait pas, qu'elle devait s'accompagner de nourritures spirituelles : inspirations, actes providentiels, sagesse, force morale puisés à la source infinie des bienfaits et des bénédictions que Dieu nous procure. Un principe de vie éternel tente de s'extérioriser en vous et à travers vous, et votre amour de Dieu s'incarne dans votre désir d'une union spirituelle avec la source infinie.

Ayez présent à l'esprit ce que vous aimez, ce que vous estimez ; visualisez-le mentalement. Mais aimez aussi ces images elles-mêmes et vos propres schémas de pensée. Ils s'actualiseront alors dans votre vie. Si vous ressentez une pensée ou un désir au plus profond de vous-même, si cette pensée ou ce désir sont authentiques, ils s'enracineront dans votre subjectivité et prendront une forme concrète dans le monde visible.

Lisez ce chapitre avec toute l'attention et la concentration nécessaires. Imprégnez-vous du texte comme si vous vouliez en faire mentalement la photographie. Relisez-le systématiquement. Votre image mentale y gagnera en densité, sa substance se déversera dans votre subconscient et prendra une forme visible dans votre vie. Vous vous confondrez avec l'objet de votre amour.

Imaginez à intervalles réguliers durant la journée ce que vous souhaiteriez être, ce que vous aimeriez faire ou avoir. Investissez beaucoup d'amour et de tendresse dans cette scène imaginaire. Vous n'obtiendrez rien par la contrainte. Tentez plutôt de transmettre votre image mentale à votre subconscient avec un sentiment de confiance, en étant sûr que cette image deviendra réalité.

Une femme découvre l'amour

« Je ne sais pas ce qui m'arrive, me dit un jour une jeune femme. J'ai un bon niveau scolaire, je suis cadre, j'ai de la conversation, on me trouve du charme. Et pourtant je n'attire que les hommes mariés et les alcooliques, les autres ne me font jamais de propositions sérieuses. »

Il ne s'agit pas d'un cas d'espèce, la même mésaventure arrive à beaucoup d'autres femmes. Elles sont charmantes, toniques, bien faites de leur personne, bourrées de qualités, mais elles ne s'aiment pas. Il en allait de même pour cette jeune femme qui, intérieurement, ne s'acceptait pas. Elle avait eu pour père un homme tyrannique qui ne lui avait jamais prodigué la moindre affection. D'un tempérament cruel et puritain, il interdisait à sa fille de jouer avec d'autres enfants ou même de jouer seule le dimanche. Au lieu de cela, il la contraignait à aller trois fois à la messe. Ses querelles avec sa femme étaient constantes. Depuis son enfance, la jeune femme se sentait rejetée par lui. Il n'avait jamais témoigné d'intérêt pour ses résultats scolaires, pour sa carrière professionnelle, voire pour son état de santé.

Bien qu'il fût décédé, elle éprouvait encore pour lui une haine latente ; ce qui ne manquait pas d'engendrer un sentiment de culpabilité qui, à son tour, suscitait un besoin de punition. C'est pourquoi, des profondeurs de son subconscient, la sensation d'être exclue, de ne pas être digne d'amour, de laisser les hommes indifférents remontait continuellement à la surface.

« Qui se ressemble s'assemble », nous dit le proverbe en nous rappelant la loi mystérieuse du magnétisme psychique. Comme ce sentiment de rejet, cette tendance punitive étaient profondément enracinés dans la personnalité de la jeune femme et constamment alimentés par ses pensées, elle n'attirait vers elle que des individus frustrés ou inhibés, des personnes elles-mêmes victimes d'une névrose. La loi des affinités s'inscrit dans le canevas de vos pensées, elle subit l'empreinte des impulsions données au subconscient : si celles-ci sont positives, l'effet sera positif ; si elles sont négatives, l'effet sera négatif.

La jeune femme décida de « purger » son subconscient. Sur mon conseil, elle nota les postulats suivants afin de les assimiler en les récitant matin, midi et soir pendant cinq à dix minutes :

« Je sais que l'amour divin est capable de dissoudre tout ce qui lui est étranger. Je suis convaincue que le fruit de mes méditations s'enracinera dans mon subconscient et fera germer une existence nouvelle. Mon moi est esprit et, en tant que tel, fragment d'une entité supérieure. Je célèbre et j'honore cette part de divinité qui est en moi. Si je suis encline à douter de moi-même ou à m'accabler je m'exclamerai aussitôt : "Dieu, je célèbre ton nom en moi-même." Je me pardonne d'avoir éprouvé de l'hostilité à l'égard de mon père et je demande à Dieu de lui accorder sa bénédiction. Si je pense à mon père qui séjourne désormais dans une autre dimension je prie pour le repos de son âme. Je ferai cela tant que le dernier aiguillon de la souffrance morale n'aura pas quitté mon esprit. L'amour de Dieu parcourt tout mon être. Je me sens enveloppée par sa paix, environnée de toute sa tendresse. Cet amour infini s'inscrit dans mon cœur, tout au fond de moi-même. Il émane de ma personne un sentiment d'amour. Désormais, je me sens guérie par l'amour de Dieu. C'est devenu le fondement de mon existence, un principe sacré qui tisse des rapports harmonieux dans ma vie. Dieu est amour ; celui qui demeure dans l'amour demeure en Dieu et Dieu demeure en lui. »

Après s'être fidèlement conformée à cette prescription durant un mois, la jeune femme revint me voir. Elle s'était métamorphosée. Une mutation stupéfiante s'était opérée dans son rapport à elle-même et au monde extérieur : elle avait cessé d'être en conflit avec elle-même, elle avait surmonté son attitude négative qui aurait certainement détruit sa vie conjugale si une demande en mariage lui avait été faite antérieurement. Elle pouvait désormais envisager une vie à deux. Je lui recommandai donc une autre prière :

« Je crois que je suis à même de rencontrer le partenaire idéal. Je sais que le mariage est un engagement mutuel. Je ferai preuve à l'égard de mon mari de fidélité, d'honnêteté, de dignité, de générosité pour qu'il vive heureux. Il me donnera en retour son amour, sa confiance, sa fidélité pour que moi aussi je sois comblée. La sagesse infinie de Dieu sait où se trouve ce partenaire idéal et elle le conduit vers moi. Quelqu'un a besoin de moi, je le sens bien, et l'homme que la sagesse divine a choisi pour moi aspire à me rencontrer. Entre nous règnent la paix, l'harmonie, l'amour et la compréhension. Nous sommes confondus dans l'amour de Dieu. Nous nous entendons pleinement sur le plan spirituel, moral et physique. Je me libère de toutes mes tensions intérieures, de toutes mes angoisses pour construire une nouvelle vie dans la certitude que la divine providence provoquera la rencontre attendue. Je sais que nous nous reconnaîtrons au premier coup d'œil. Il m'aime et je l'aime. Je confie ces pensées à la part de divinité qui est en moi et je rends grâce à la loi universelle qui unit les êtres ; je la sais capable de réaliser mon désir. »

Elle récita cette prière avec toute la ferveur voulue matin et soir. Elle savait que les principes qui y étaient énoncés se faufileraient dans les moindres recoins de son subconscient.

Deux mois s'écoulèrent. Elle fit des rencontres, mais aucune ne fut l'amorce d'un tournant dans sa vie sentimentale. Dès qu'elle était assaillie par le doute elle se réconfortait avec le texte de sa prière. Un jour, elle prit l'avion pour New York dans le cadre de son travail. A ses côtés se trouvait un pasteur. Grand, bien fait de sa personne, il engagea la conversation. Ils discutèrent des différentes religions et constatèrent que leurs convictions religieuses et leurs opinions politiques étaient identiques. A New York la jeune femme assista à l'office religieux du pasteur. Une semaine plus tard ils étaient fiancés. Depuis lors ils se sont mariés et mènent une vie conjugale placée sous le signe de l'harmonie.

Un homme surmonte sa jalousie
vis-à-vis de ses collègues

L'amour réunit, la jalousie ou l'envie séparent. Milton avance que « la jalousie est l'enfer où est plongé l'amant blessé ». Et Shakespeare fait dire à Iago lorsqu'il s'adresse à Othello : « Seigneur, garde-toi de la jalousie, ce monstre à l'œil glauque qui salit les plats dont il se nourrit. » Autrement dit, une personne jalouse empoisonne ses repas avant de les ingurgiter.

J'aimerais citer un exemple en guise d'illustration. Il s'agit d'un homme qui éprouvait à l'égard d'un collègue de travail une jalousie pathologique. Il enviait ses succès, ses résultats, sa cote de sympathie et en était même arrivé à lui vouer de la haine. Je lui montrai que cette jalousie viscérale était un poison mortel qui le dévorait intérieurement, au sens littéral du mot car il avait des ulcères, souffrait d'hémorroïdes et faisait de l'hypertension. Les toxines sécrétées par la jalousie, en le privant de toute joie de vivre, avaient détérioré le teint frais de son visage où se lisait désormais une pâleur maladive. Ce n'est pas par hasard que l'on dit de certaines personnes qu'elles sont malades de jalousie.

Comme la prise de conscience est déjà un premier pas vers la guérison, je lui expliquai la chose suivante : « L'énergie divine est infinie et indivisible. Un clivage n'est pas possible car elle ne peut se surpasser elle-même. Il n'existe rien qui puisse s'opposer à elle, qui soit à même de lui faire barrage car elle est la seule substance existant au monde, la cause de tout. La force infinie de Dieu, le principe de vie qui anime tout individu, essaie de s'exprimer à travers chacun de nous et d'une manière chaque fois différente. Il y a sur la terre des milliards d'individus et à travers chacun d'eux la vie s'écoule, une vie qui tire sa force d'une source inépuisable. Tout homme peut obtenir ce qu'il désire car le souffle de Dieu traverse chacun de nous. Par vos pensées, vos sentiments, vos prises de position vous établissez un lien direct avec cette source de vie que Dieu met à notre disposition. Et vous seul, par manque de confiance, par manque de foi en Lui, risquez de vous aliéner ce bien précieux. »

Je conseillai à cet homme de faire un retour sur soi et de tendre vers des choses positives comme la réussite, l'inspiration, l'amour, etc. S'il attendait la réalisation de ses désirs, s'il y croyait, il serait lui aussi parcouru par le flux cosmique qui se manifesterait en sa faveur. « Ne souhaitez pas, ajoutai-je, ce que l'autre possède. Réjouissez-vous plutôt de son succès. Bannissez toutes vos idées fausses, tous les sentiments fallacieux et vous obtiendrez ce que vous désirez. En d'autres termes : si vous façonnez une image mentale de vos désirs vous récolterez les fruits de votre imagination. La personne jalouse qui envie les succès, les résultats, les talents et les richesses d'autrui s'avilit elle-même et ne fait qu'accroître l'ampleur de ses frustrations. Si vous pensez : cet homme a droit à tout, je n'ai droit à rien, vous vous coupez vous-même des bienfaits que Dieu engendre en abondance. Celui qui raisonne ainsi est un ignorant qui se prive lui-même de la réussite. Comprenez bien que nous n'aimons les autres que si nous désirons sincèrement leur faire partager une vie de paix et de bonheur dont Dieu est le garant. Pratiquer l'amour et la bienveillance, faire preuve de chaleur humaine, c'est obéir à cette loi divine qui est le meilleur gage du prestige, de la félicité, de la paix intérieure. »

Ce commentaire sommaire des lois de la pensée et du cœur ouvrit à cet homme des perspectives foncièrement nouvelles. La vie lui apparut désormais sous un jour nouveau. Il cesserait dorénavant, m'assura-t-il, d'éprouver le moindre sentiment de jalousie à l'égard de quelqu'un d'autre ou d'envier la réussite de son entourage professionnel. Il souhaitait au contraire se réjouir des succès enregistrés par ses collègues. Je lui prescrivis donc la prière suivante :

« Je suis convaincu de l'existence de Dieu, source infinie de la vie, siège de l'esprit et notre père à tous. Tous les hommes sont frères et je salue dans chacun d'eux la présence de Dieu. Je sais que je suis modelé par ce que j'aime. En faisant preuve d'amour et de chaleur à l'égard des autres je laverai mon subconscient des impuretés qui s'y trouvent : jalousie, envie, angoisse, hostilité. Je me félicite des succès, des performances, des progrès obtenus par les membres de mon entourage ou par des personnes appartenant à d'autres milieux. Un fleuve d'amour et de vie passe en moi, je me sens purifié, je me sens en paix avec tous les autres hommes et avec moi-même. »

Dès qu'il sentait déferler en lui une pulsion de jalousie ou d'envie il se cramponnait à son engagement : « Je me félicite de son succès. Il émane de ma personne de l'amour et de la chaleur. » Ces pensées devinrent un réflexe.

Aujourd'hui, c'est un homme comblé. Il possède sa propre entreprise. Fait étonnant dans cette anecdote : le collègue dont il était si jaloux est devenu son associé et leur collaboration est des plus fécondes.

Comment utiliser la force de l'amour de manière constructive

Il y a quelque temps, une femme qui venait de tomber amoureuse me demanda ce qu'elle devait faire pour que l'homme dont elle s'était éprise lui fît une demande en mariage. Se référer à la loi de l'amour de cette façon revient à la transgresser. De telles initiatives sont contraires à l'amour ; elles trahissent le désir d'exercer une pression mentale sur une autre personne pour l'inciter à faire quelque chose qu'elle ne souhaite pas. Il s'agit d'une atteinte au privilège du libre arbitre qui nous permet, selon la volonté de Dieu, de faire des choix et de prendre des décisions de manière autonome.

Les tentatives de conditionnement mental sont proches de la magie noire. En Inde, on travaille beaucoup sur le sujet, ailleurs aussi comme le démontre le chapitre de cet ouvrage qui évoque le cas des sorciers des îles Hawaï. J'expliquai à cette femme que si elle gagnait la confiance de l'élu de son cœur de cette manière, ses agissements se répercuteraient dans sa vie comme un boomerang et elle regretterait de s'être comportée ainsi. Je lui recommandai une prière particulière pour trouver la voie de la sagesse :

« La lumière divine qui est en moi n'ignore pas que je désire ardemment me marier. Elle sait aussi où se trouve l'homme que je cherche. Il m'aime telle que je suis et nous nous sentons attirés l'un par l'autre. Pour l'instant mes prières n'évoquent aucun homme en particulier. Je sais seulement que l'esprit universel nous rapproche l'un de l'autre et que la providence guide nos pas. Cet homme vient vers moi, librement, de son propre chef. Entre nous règnent l'amour, le respect, l'équilibre. Je suis convaincue que c'est celui que j'attends. L'amour ignore la compétition et la discorde. Je suis reconnaissante à Dieu de guider ma vie dans le sens de la justice et je sais qu'il en sera désormais toujours ainsi. »

Elle s'impliqua pleinement dans ces méditations en croyant à la portée des paroles qu'elle prononçait. Quelques semaines plus tard, son chef de service avec lequel elle travaillait depuis cinq ans la demanda en mariage. Ils étaient faits l'un pour l'autre. A l'issue de la cérémonie, la jeune femme s'écria : « L'influence de la prière est incroyable ! J'ai passé cinq ans dans son bureau et il n'avait jamais semblé s'intéresser à moi en dépit de l'amour que je lui portais. Et aujourd'hui nous sommes mariés. »

L'amour s'accomplit dans « la plénitude de la loi »

Je priai cette femme de méditer quelques vérités ancestrales héritées de la Bible. Je vous invite expressément à faire de même.

Dieu est amour : celui qui demeure dans l'amour demeure en Dieu et Dieu demeure en lui (Première Épître de saint Jean 4, 16). *Que tout se passe chez vous dans l'amour et la charité* (Première Epître aux Corinthiens 16, 14). *Cheminez dans la charité* (Epître aux Ephésiens 5, 2). *Tu aimeras ton prochain comme toi-même* (Lévitique 19, 18). *Car tel est le message que vous avez entendu dès le début : nous devons nous aimer les uns les autres* (Première Epître de saint Jean). *D'un cœur pur, aimez-vous les uns les autres sans défaillance* (Première Epître de saint Pierre 1, 22). *La charité ne fait point de tort au prochain. La charité est donc la loi dans sa plénitude* (Epître aux Romains 13, 10). *Bien-aimés, aimons-nous les uns les autres, puisque l'amour est de Dieu et que quiconque aime est né de Dieu et connaît Dieu. Celui qui n'aime pas n'a pas connu Dieu, car Dieu est amour* (Première Epître de saint Jean 4, 7-8).

RÉSUMÉ

1. Dieu est source de vie, et la vie, en suivant la pente de la nature, tend à bourgeonner sous toutes ses formes : harmonie, santé, vitalité, abondance, etc. En d'autres termes, il est conforme à la volonté divine que vous meniez ici-bas une existence exaltante, riche sur le plan spirituel et matériel.

2. Il est possible d'incorporer dans votre vie des schémas de pensée, des situations imaginaires que vous activerez par un sentiment d'amour en créant un lien affectif avec le monde de vos idées. Les pensées dans lesquelles vous vous investissez pleinement se réaliseront.

3. Cessez d'être en conflit avec vous-même car qui se ressemble s'assemble. Autrement dit, vous n'attirerez, par ce refus de vous-même, que des éléments négatifs. N'oubliez pas que l'amour est un sentiment divin qui dissout tout ce qui diffère de lui.

4. Vous rencontrerez le partenaire idéal en vous imaginant qu'une conscience cosmique conduit vers vous la personne qui vous correspond en tous points. Votre moi profond, guidé par la providence divine, donnera une réalité à ce que vous avez imaginé.

5. La jalousie et la convoitise sont des substances venimeuses pour l'esprit ; elles renforceront votre détresse et vos frustrations. Vous pourrez les surmonter en réalisant que l'amour ignore la querelle et la compétition. Il expulsera la jalousie et la concupiscence. Tout ce que vous désirez peut être formulé mentalement. Dieu, présent en vous, exaucera vos vœux par l'intermédiaire de l'amour.

6. L'amour permet aux cœurs de communiquer. Il est synonyme de chaleur et de bonté. En faisant preuve d'une affection sincère envers les autres vous vous sanctifiez vous-même. Car dans votre univers intérieur vous êtes le seul maître à penser : ce que vous pensez des autres se manifeste dans leur vie. L'amour s'accomplit dans la plénitude de la loi universelle qui régit la santé, le repos de l'esprit et le bonheur suprême.

7. Si vous êtes tenaillé par la jalousie ou la convoitise substituez-lui immédiatement une pensée positive comme celle-ci : « Je me félicite du bonheur et de la réussite de cette personne. » Faites en sorte que cette substitution devienne une habitude, des miracles se produiront alors dans votre vie.

8. N'essayez jamais de manipuler une autre personne, évitez de la forcer à faire ce qu'elle ne désire pas. Ce serait contraire à l'esprit de la loi qui régit l'amour. De tels agissements ont un effet boomerang dans l'existence de leur auteur où ils sont source de souffrance et de détresse. Quand on blesse quelqu'un, c'est à soi-même que l'on porte atteinte.

9. Il vous sera accordé tout ce que vous demandez si vous vous tournez réellement vers le bien, si la notion du

bien est toujours présente à votre esprit. L'esprit du cosmos possède des milliards de canaux que peut emprunter la source infinie de ses bienfaits. Vous êtes l'un de ces canaux. Acceptez ces influences bénéfiques qui attendent sur le pas de votre porte.

10. *Celui qui demeure dans l'amour demeure en Dieu* (Première Epître de saint Jean 4, 16).

16

LA FOI ÉTEND À L'INFINI LE CHAMP DU POSSIBLE

La Bible nous dit : *C'est pourquoi je vous dis : tout ce que vous demandez en priant, croyez que vous l'avez déjà reçu, et cela vous sera accordé* (Evangile selon saint Marc 11, 24). De même : *Si tu peux !... reprit Jésus ; tout est possible à celui qui croit* (id. 9, 23).

Lorsqu'Alexandre le Grand, le chef de guerre et le conquérant le plus célèbre de l'Antiquité, n'était encore qu'un enfant facilement impressionnable, sa mère Olympias lui affirma qu'il était d'origine divine, qu'il était d'une essence supérieure à ses camarades car elle avait vu briller sur son front le signe de Zeus. C'est pourquoi, continua-t-elle, il franchirait tous les obstacles sur lesquels s'échouaient les destins ordinaires. Le garçon crut dur comme fer à la prophétie de sa mère. L'histoire nous enseigne que l'itinéraire d'Alexandre fut effectivement jalonné de campagnes militaires et de triomphes qui dépassent l'imagination. L'enchaînement ininterrompu de conquêtes aussi grandioses qu'inattendues a élevé sa personne au rang d'un mythe, en a fait la figure de proue d'une civilisation.

La tradition rapporte qu'un jour le jeune Alexandre agrippa par la crinière un étalon fougueux qui refusait de se laisser domestiquer. Il se jucha sur l'animal qui ne portait ni selle ni harnais et le rendit aussi docile qu'un agneau. Le père d'Alexandre, Philippe de Macédoine, et le palefrenier n'osaient même pas s'approcher de la bête. Alexandre, au contraire, se pensant d'origine divine, avait du pouvoir sur les animaux. Il conquit le monde, ou du moins les territoires alors répertoriés et fonda l'empire le plus étendu de l'Antiquité.

J'ai brièvement esquissé les contours de sa vie pour illustrer la force de la conviction intime, une force qui vous permet, à vous aussi, d'atteindre l'impossible. *Pour Dieu, tout est possible* (Evangile selon saint Matthieu 23, 9). Alexandre mit en scène sa conviction profonde dont la force immense se manifesta dans sa vie sous de multiples facettes : esprit supérieur, robustesse de constitution, vie triomphale.

Prenez conscience de votre caractère divin

Vous êtes enfant du Dieu vivant. La Bible nous le rappelle : *N'appelez personne votre « Père » sur la terre : car vous n'en avez qu'un, le Père céleste* (Matthieu 23, 9). Vous êtes esprit de l'esprit de Dieu et, en ce sens, de nature divine. Vous avez la force et la faculté de réaliser les œuvres de Dieu. *Moi, j'ai dit : Vous, des dieux, des fils du Très-Haut, vous tous ?* (Psaume 82, 6).

Pensez à toutes les choses merveilleuses que vous pourrez réaliser si vous exploitez ce gisement inépuisable que Dieu a placé en vous. La conviction d'être un enfant de Dieu éliminera toutes les certitudes trompeuses et vous permettra de faire partie intégrante du projet divin ici et maintenant. Imprégnez-vous des vérités suivantes aussi souvent que possible en priant régulièrement :

« Je suis convaincu d'être un enfant de Dieu et, en tant que tel, je suis nanti de forces et de qualités divines. Je crois fermement à la nature divine de mon état et j'accepte ce lien filial avec Dieu. Je suis fait à l'image de Dieu. J'ai le pouvoir de façonner ma vie à ma convenance. Je peux, grâce à la force infinie qui agit en mon sein, résoudre tous les problèmes et relever les multiples défis de la vie. Chacun de mes problèmes sera résolu sous les auspices de la providence. Je suis sûr de pouvoir libérer la force régénératrice de l'esprit afin d'atténuer les souffrances des autres et mes propres souffrances. Inspiré, illuminé intérieurement par le ciel, je transmets toujours plus d'amour, je propage chaque jour la vérité, la beauté de Dieu. Dieu est mon Père et je sais qu'avec lui rien n'est impossible. La lumière de Dieu luit au-dessus de ma tête, il fait resplendir sur mon visage le sourire de son triomphe. L'esprit de Dieu me fortifie et ouvre la voie de tous les possibles. »

Répétez cette prière au point de vous identifier aux affirmations qu'elle contient. Des phénomènes miraculeux se produiront dans votre vie.

Un pasteur s'initie au pouvoir de la foi

Un pasteur avec lequel j'avais l'habitude de m'entretenir me raconta qu'un an auparavant, son frère lui avait déclaré qu'il était atteint du cancer. Il s'agissait d'un excellent praticien et son diagnostic ne pouvait être mis en doute. La nouvelle eut d'abord un effet traumatisant.

Il ajouta : « Je me mis à réfléchir à ce que je propageais dans mes sermons, à savoir que Dieu est amour et que la foi déplace les montagnes. Si cela est vrai, me dis-je, pourquoi avoir peur ? Serait-il possible que je n'accepte pas vraiment ces postulats, que ma foi se limite à une adhésion théorique ? Je compris que je devais les vivre, ces vérités bibliques, que je devais les sentir passer dans ma chair, pour croire vraiment. Je me soumis au traitement que mon frère m'avait conseillé. Les douleurs étaient atroces ; pourtant, ni le traitement par rayons ni la chimiothérapie ne me firent de l'effet. Mon état se dégradait à vue d'œil. Je compris que je ne croyais pas vraiment au pouvoir régénérateur des forces divines et que, dans mon cas, il s'agissait de mots dénués de réalité. J'ouvris la Bible : *En vérité je vous le dis, si quelqu'un dit à cette montagne : « Soulève-toi et jette-toi dans la mer », et s'il n'hésite pas dans son cœur, mais croit que ce qu'il dit va arriver, cela lui sera accordé* (Marc 11, 23). »

Le malade médita ce verset biblique et pria : « Je crois aux vérités contenues dans ce verset. La montagne de la peur, de la maladie et des soucis se soulève et tombe dans l'oubli. La maladie va quitter mon corps. Je crois au pouvoir de guérison de Dieu, à sa bonté ; je sais qu'il veille sur moi. Je sais que ma constitution physique résulte de pensées négatives liées à la peur et que ces pensées se sont nichées dans mon subconscient. Je sais que l'amour de Dieu est une source d'hygiène spirituelle, que cet amour va étouffer et dissoudre tous les schémas négatifs qui jettent l'obscurité dans mon esprit. Je remercie Dieu pour la guérison qui s'amorce et à laquelle je crois profondément. Je refuse obstinément de me laisser envahir par mon problème et je me réjouis de pouvoir entendre : *Je suis Yahvé, celui qui te guérit* (Exode 15, 26). »

Il pria à voix haute plusieurs fois par jour. Dès que l'angoisse et le doute refaisaient surface il proclamait aussitôt : « Dieu est à l'œuvre, il me guérit. » Trois mois plus tard, tous les tests médicaux donnèrent des résultats négatifs. Aujourd'hui, débarrassé de son cancer, il est à nouveau en bonne santé. Il prêche chaque dimanche et chaque mercredi dans son église et semble déborder de vitalité.

Tout ce que vous demandez dans vos prières, croyez-le, vous sera accordé (Matthieu 21, 22).

Comment croire aux forces infinies de la guérison

Il existe depuis les temps les plus reculés des témoignages relatifs à des cas de guérison obtenus par le seul pouvoir de l'esprit. Jésus guérissait les aveugles et les paralytiques. A force de méditer les grandes vérités divines, d'être nourri par elles, il finit par se confondre avec Dieu. Il assurait à son auditoire que tout homme est capable de réaliser de semblables miracles, et sans doute de plus sublimes encore. *Et voici les signes qui accompagneront ceux qui auront cru : en mon nom ils chasseront les démons, ils parleront en langues nouvelles... ils imposeront les mains aux infirmes et ceux-ci seront guéris* (Marc 16, 17-18).

Il y a quelques semaines, une femme m'appela de Louisiane parce que son fils avait été hospitalisé à la suite d'une hémorragie cérébrale. Son cas était désespéré, les médecins ne lui accordaient aucune chance de survie. En parlant avec elle je pus me rendre compte qu'il s'agissait d'une nature très pieuse. « Croyez-vous, lui demandai-je, que la force de vie du Tout-Puissant qui a créé le corps et l'esprit de votre fils soit capable de provoquer son rétablissement ? »

Elle me répondit qu'elle croyait aux paroles de l'Ecriture : *Car je vais te porter remède et guérir tes plaies, dit Yahvé* (Jérémie 30, 17).

Nous priâmes ensemble au téléphone, convaincus tous deux que la force infinie de l'esprit savait comment remédier aux lésions cérébrales du jeune homme pour qu'il pût reprendre connaissance. Nous avons imaginé aussi concrètement que possible qu'une atmosphère d'amour, de paix et d'harmonie entourait son fils et que les médecins et les infirmières étaient à chaque instant guidés par la providence. Je recommandai à la mère de se représenter une situation très concrète dans laquelle son fils revenait à la maison en disant : « Maman, c'est miraculeux, je suis complètement guéri ! »

Après notre conversation téléphonique, elle pria avec ferveur en implorant l'aide de Dieu, en invoquant son pouvoir réparateur. Elle imagina son fils en train de sillonner la maison d'un air rayonnant. Lorsque la peur et le doute s'emparaient d'elle elle se replongeait immédiatement dans la prière : « Je crois, je crois, je crois à la force infinie qui soulage de tous les maux, je sais qu'elle est en train d'accomplir un prodige. »

Aujourd'hui son fils est un jeune homme qui déborde de vie et de santé !

Personne ne sait exactement comment agit cette énergie réparatrice qui se trouve dans les organismes vivants. Mais personne ne sait non plus très précisément comment une graine minuscule donne naissance à un if millénaire. Cette femme crut de manière inconditionnelle aux possibilités de la pensée pour laquelle rien n'est impossible.

Testez vos convictions

Posez-vous les questions suivantes : la satisfaction de mes désirs est-elle concevable ? Suis-je capable de rencontrer des amis sincères, le/la partenaire idéal(e) ? Est-il possible d'obtenir les biens matériels dont j'ai besoin ? Ce besoin s'inscrit-il dans le schéma général de la vie ? Puis-je trouver ma vraie place dans l'existence ? Dieu souhaite-t-il pour moi une vie riche et exaltante, une vie de joie, de paix, de santé, de prospérité dans laquelle je trouverai bonheur et épanouissement ?

Vous devez répondre oui à toutes ces questions. Attendez le meilleur de la vie et la vie vous donnera le meilleur d'elle-même. Si vous croyez cela, il en sera ainsi.

Les erreurs communément admises

Beaucoup de gens pensent que le bien-être matériel, le bonheur, la richesse ne leur sont pas destinés, mais seulement réservés à quelques privilégiés. Cette croyance provient d'un sentiment d'infériorité, d'une sensation d'exclusion. Il n'existe pas une classe d'individus médiocres et une classe d'individus supérieurs ! Tout homme est un dieu, même s'il ne possède que les germes de la divinité : *Vous êtes tous des dieux, des fils du Très-Haut* (Psaume 82, 6).

Personne ne succombe vraiment aux limites imposées par son origine sociale, sa race ou tout conditionnement préalable. Des milliers d'êtres humains ont abattu les barrières du carcan initial ; ils ont redressé la tête et sont sortis de la foule bien qu'ils n'aient pas bénéficié à leur naissance de conditions particulièrement favorables. Abraham Lincoln, le plus grand président qu'aient connu les Etats-Unis, vint au monde dans une cabane de rondins ; Georges Carver, qui fut l'instigateur de profondes réformes agraires, descendait d'une famille d'esclaves noirs. Dieu distribue ses dons de manière universelle, il choisit ses élus indépendamment de leur appartenance raciale ou de leurs convictions idéologiques.

Qu'il vous advienne selon votre foi (Matthieu 9, 29). Si vous n'êtes pas certain d'être en droit d'exprimer vos désirs les plus profonds, si vous ignorez que votre vie est modelée par vos convictions, alors vous ne pouvez pas espérer que vos vœux soient exaucés !

Vous êtes en droit
de mener une vie riche et exaltante

Dieu est là pour vous combler de ses bienfaits. Vous êtes sur terre pour célébrer son nom et vivre heureux à travers

217

Lui. Vous disposez du droit inaliénable de laisser le bonheur envahir votre vie, à condition toutefois que vos motivations ne soient pas égoïstes et que vous souhaitiez aux autres ce que vous désirez pour vous-même. Votre désir d'être en bonne santé et heureux, de vivre dans la paix, l'amour et le bien-être ne peut fondamentalement porter préjudice à personne. Vous êtes en droit d'espérer une position sociale brillante ou des rentrées d'argent substantielles, mais vous ne devez en aucun cas convoiter la place d'autrui. C'est grâce à des pensées et des convictions axées sur la justice que vous serez naturellement guidé vers la place qui vous revient. Elle sera le reflet de votre droiture et de votre loyauté.

Vous avez le droit de profiter des plaisirs de la vie auxquels vous aspirez. Exploitez tout le champ de votre savoir pour concrétiser cette aspiration et elle deviendra réalité. Ne souhaitez pas vous approprier ce qui fait le bonheur d'une autre personne ! N'essayez pas de dépouiller quelqu'un d'autre ! Les richesses de Dieu sont inépuisables et disponibles pour tous de sorte que personne n'a lieu d'envier son voisin.

Récoltez les fruits de vos convictions

Vos expériences, les événements de votre vie, vos conditions d'existence sont le produit de vos certitudes. La cause et l'effet sont indissolublement liés. Vos habitudes de pensée font entendre leur écho dans les différentes phases de votre vie. Croyez à la providence divine qui maintient à jamais ouverte une porte qu'aucun humain ne peut refermer ! Vivez dans une heureuse expectative et la vie vous donnera sans doute le meilleur d'elle-même.

Affirmez calmement et tendrement chaque matin au lever : « Voici l'aube d'un jour nouveau créé par le

Seigneur. Que cette journée soit pour moi source de joie et de satisfaction. Des miracles vont se produire aujourd'hui dans ma vie. Je vais faire la connaissance de gens formidables et nouer des contacts intéressants. Je remplirai mes obligations scrupuleusement et je serai très performant. Mon subconscient va m'ouvrir des voies nouvelles qui me permettront de venir à bout de toutes les difficultés. Je suis sûr que Dieu fera prospérer ma vie au-delà de mes espérances les plus audacieuses. Je sais que *tout est possible pour celui qui croit* (Marc 9, 23). »

Un homme rongé par les dettes fait fortune

Il y a quelque temps de cela, un homme qui venait de faire faillite vint me consulter. Il était déprimé, totalement découragé. Pour comble de malheur, sa femme demandait le divorce et ses enfants, visiblement entraînés par la mère, ne voulaient plus entendre parler de lui. Il se pensait complètement perdu et ne croyait plus en Dieu depuis longtemps.

« La terre est ronde, lui dis-je, même si vous pensez qu'elle est plate ; et chaque homme porte en lui une parcelle d'esprit divin, que vous en soyez convaincu ou non. » Puis je lui proposai d'appliquer une formule pendant dix jours avant de revenir me voir. En voici la teneur :

« Je crois en l'existence de Dieu, je crois qu'Il est la source de l'énergie cosmique qui anime le monde et a engendré toute vie. Je suis sûr qu'il est omniprésent et qu'il est également présent en moi-même. Je sais qu'il guide mes pas en ce moment même. Je suis certain que ses trésors me seront accordés de multiples façons. Son amour emplit mon cœur et celui de mes deux fils. Des liens d'amour et de paix m'unissent à eux. Je vais connaître un succès retentissant. Je vais vivre dans la plénitude, libre et heureux. Dieu sera toujours présent en moi et cet accompagnement permanent sera la cause d'une réussite exceptionnelle. Je crois à tout cela, j'y crois au plus profond de moi-même. »

Il devait s'imprégner de ces principes matin, midi et soir à raison de cinq minutes en les répétant à voix haute. Il approuva et partit.

Pourtant, le deuxième jour, il m'appela pour me dire : « Je ne crois pas un traître mot de ce que j'ai à réciter. C'est une répétition mécanique dépourvue de sens. »

Je lui recommandai cependant de persévérer dans cet exercice mental : « Le fait que vous ayez commencé à appliquer la formule montre bien que vous possédez les racines de la foi dont parle la Bible. Si vous continuez dans cette voie la montagne de la peur, du doute et de la déception reculera. »

Au bout de dix jours, il revint me voir, rayonnant de bonheur. Ses deux fils lui avaient rendu visite et ils s'étaient tous réconciliés dans la joie. En vertu de ses nouveaux schémas de pensée il avait gagné au tiercé un pécule conséquent qui lui permit de se remettre à flot sur le plan professionnel. Il avait découvert le filon de la force infinie qui, comme une source céleste, veille à rendre la vie foisonnante.

Car, je vous le dis en vérité, si vous avez de la foi comme un grain de sénevé, vous direz à cette montagne : déplace-toi d'ici à là et elle se déplacera, et rien ne vous sera impossible (Matthieu 17, 20).

RÉSUMÉ

1. Dans la Bible il est dit : *Si tu peux !... reprit Jésus ; tout est possible à celui qui croit* (Marc 9, 23).

2. Croire signifie reconnaître comme vrai. Si vous croyez à quelque chose de faux, votre vie, conformément à votre croyance, sera marquée par la misère et la souffrance.

3. La mère d'Alexandre le Grand avait affirmé à son fils qu'il portait le signe du dieu Zeus. Alexandre se crut donc investi d'une nature divine et eut une destinée grandiose.

4. Vous êtes, croyez-le bien, un enfant du Dieu vivant et, en tant que tel, vous êtes habité par une énergie infinie. Restez fidèle à cette conviction et vous ferez des miracles dans votre vie. Soyez certain que vous pouvez tout entreprendre si vous êtes fortifié par l'énergie qui émane de Dieu.

5. Si vous dites à la montagne dont l'obstacle symbolise les difficultés de la vie : « déplace-toi et tombe dans l'océan de l'oubli » ; si vous êtes convaincu que l'énergie divine est capable de provoquer un tel prodige, alors celui-ci se produira.

6. Choisissez une citation biblique comme *Je suis le Seigneur, celui qui te guérit* (Exode 15, 26). Répétez-en le contenu mentalement et régulièrement en étant convaincu du pouvoir réparateur de la force infinie. Il s'ensuivra une guérison. La vie est le miroir de vos certitudes.

7. Soyez sûr qu'avec l'aide de la force infinie toute maladie peut être surmontée. *Car je vais te porter remède et guérir tes plaies, dit Yahvé* (Jérémie 30, 17). Si vous vous répétez constamment cette phrase vous accéderez à la paix et à la guérison.

8. Regardez au-delà des apparences et vivez en esprit la réalité du désir exaucé, vous atteindrez l'impossible.

9. Testez vos convictions et modifiez-les le cas échéant. Croyez à la bonté divine, à la providence et à la possibilité d'une vie riche et exaltante sur le plan matériel et spirituel.

10. Un droit divin vous autorise à souhaiter tous les bienfaits de la vie. Dieu est à la fois celui qui donne et la chose donnée ; toute chose est disponible pour qui l'a déjà réalisée en esprit. Acceptez les situations favorables dont vous pouvez bénéficier et vivez dans une heureuse expectative. L'appartenance sociale, l'origine ethnique ou l'éducation ne constituent nullement une barrière définitive.

11. Dieu vous accorde ses bienfaits en abondance pour que vous viviez heureux. Vous êtes ici-bas pour honorer son nom et jouir de la vie à travers Lui. Ses richesses sont inépuisables et accessibles à tous.

12. Toutes vos expériences, tous les méandres de votre destin, vos conditions d'existence sont le produit de votre foi dans la vie. Même si celle-ci est aussi minuscule qu'un grain de blé, elle poussera et prospérera proportionnellement à votre motivation spirituelle qui consiste à répéter les principes universels pour les intégrer. Vous constaterez alors que la foi fait des miracles dans votre vie.

17

UN FACTEUR D'HARMONIE
DANS LES RELATIONS HUMAINES

J'ai écrit ce chapitre dans l'archipel des îles Hawaï. Je me trouvais alors sur l'une des plus belles portions de cet Etat fédéral américain. Les autochtones affirment que « l'on n'a pas vécu tant qu'on a été privé du spectacle des îles ». L'un des centres d'attraction les plus prisés de l'endroit où je me trouvais est un volcan éteint dont l'altitude dépasse trois mille mètres et que les indigènes appellent « la Maison du soleil ». Le site est d'une splendeur à vous couper le souffle. Au pied du cratère la vie des indigènes suit son cours paisible. La population insulaire cultive de petites plantations de colocase selon des techniques ancestrales, le poisson constituant toujours l'essentiel de son alimentation.

Sur les îles Hawaï on rencontre de nombreux types ethniques et les confessions religieuses les plus diverses. Mais tous ces gens mènent une coexistence pacifique en profitant du soleil de cet archipel béni. L'indigène qui me conduisit de l'aéroport à l'hôtel me raconta que ses ancêtres étaient d'origine irlandaise, portugaise, germanique, japonaise ou chinoise. Depuis de nombreuses générations les mariages mixtes entre les peuplades les plus variées étant monnaie courante, les problèmes raciaux sont inconnus.

Comment s'entendre avec les autres

L'une des principales raisons pour lesquelles maintes personnes échouent dans la vie réside dans leur incapacité à s'entendre avec leurs semblables. Elles semblent condamnées à agacer les autres, à les provoquer. Souvent leur attitude manque de tact, elles sont présomptueuses et désobligeantes.

Le meilleur moyen d'entretenir une relation harmonieuse avec les autres consiste à rendre hommage à l'intelligence divine qui est en eux, à considérer que chaque homme, chaque femme est la quintessence de l'espèce humaine. Tout être humain résidant sur la terre est un enfant du Dieu vivant ; et si nous respectons, si nous honorons la parcelle de divinité qui est en nous nous ferons forcément de même avec les autres.

Un maître d'hôtel se propulse en avant

Dans un hôtel situé en bordure de baie, dans l'une des îles Hawaï, j'eus l'occasion de m'entretenir avec un membre du personnel qui me raconta une anecdote instructive. Il me dit que depuis des années un millionnaire américain et excentrique se rendait sur l'île. C'était un individu odieux, incapable de donner le moindre pourboire aux serveurs et aux liftiers. A son tempérament avare s'ajoutait son caractère irascible et grossier. Il n'était jamais content, se plaignait constamment de la qualité du service et des mets en aboyant sur tout le personnel. « Je me rendis compte, me dit mon interlocuteur, que cet homme était malade. Le gourou local affirme qu'un homme qui se comporte ainsi est dévoré par un démon intérieur. Je décidai donc de gagner sa confiance en utilisant l'arme de la chaleur humaine. »

Le maître d'hôtel s'appliqua à faire montre envers son client de déférence, de sympathie et de respect tout en pensant : « Dieu l'aime. Je vois Dieu briller en lui et il voit Dieu en moi. »

Il utilisa cette technique pendant environ un mois. Un beau matin l'excentrique le salua pour lui souhaiter une bonne journée en s'exclamant : « Bonjour, Toni, quel temps fait-il aujourd'hui ? Vous êtes le meilleur maître d'hôtel que j'aie jamais vu ! »

« Pour un peu, je serais tombé à la renverse. Je m'attendais à une remontrance et, au lieu de cela, j'ai droit à un compliment. Il me donna même un billet de cinq cents dollars. » Tel fut le cadeau d'adieu de ce client difficile. Mais il n'en resta pas là : il fit en sorte que Toni devînt gérant d'un grand hôtel d'Honolulu dans lequel il avait des parts.

... *que c'est bon une réponse opportune !* (Proverbes 15, 23). Un mot est l'expression d'une idée. Les paroles, autrement dit les pensées, du maître d'hôtel s'adressaient au subconscient de ce client lunatique et belliqueux. Elles avaient fait fondre la glace de son cœur et sa réaction fut amicale. Toni avait démontré que, lorsqu'on décèle dans autrui le signe du divin, les relations humaines deviennent plus fécondes, même sur le plan matériel.

Comprendre c'est pardonner

Ce vieil aphorisme contient une profonde vérité. Dans un autre hôtel des îles Hawaï, j'eus l'occasion d'en parler avec une jeune femme qui organise des activités et des excursions pour la clientèle. Elle me révéla que certains clients à qui elle dit : « Nous avons une journée magnifique aujourd'hui » lui répondent sèchement : « Qu'est-ce que vous voulez que ça me fasse ? Je déteste le climat de cette île, tout est nul ici. » Dans un tel cas, elle sait immédiatement qu'elle se trouve en face d'une personne perturbée sur le plan émotionnel, d'un esprit torturé par des sentiments irrationnels.

Ayant étudié la psychologie à Honolulu, elle se souvenait très bien des explications d'un certain professeur. Celui-ci affirmait à ses étudiants qu'on ne réagit jamais de manière désagréable, qu'on ne manque jamais de retenue à l'égard d'une personne victime d'une difformité physique, à l'encontre d'un bossu par exemple. Il faudrait faire preuve de la même réserve, ne pas succomber à l'agressivité en présence d'individus dont l'infirmité est de nature psychique ou la manière de penser plus ou moins tordue. Nous devons au contraire faire montre de pitié à leur égard. En prenant conscience de l'anarchie mentale dans laquelle ils ont glissé il est plus facile de faire abstraction de leurs débordements et de les leur pardonner.

Cette jeune femme est gracieuse, charmante, aimable. Manifestement rien ne semble devoir entamer sa sérénité. Elle s'est constitué une sorte d'immunité qui lui confère des privilèges particuliers. Elle sait qu'elle seule peut se faire du mal. Elle possède comme toute autre personne la liberté de rendre hommage aux autres ou d'être irritée par eux, et elle a décidé de choisir la première option. Il est évident pour elle que par nos propres pensées nous sommes notre premier ennemi, et que ses pensées sont totalement sous son contrôle.

La vie d'un musicien
transfigurée par son subconscient

Un jeune musicien qui, tous les soirs, joue de la contrebasse dans l'orchestre de l'hôtel pour financer ses études à l'université d'Hawaï, m'avoua qu'il eut un jour une altercation avec un professeur et que, depuis lors, sa mémoire lui jouait des tours à tous les examens oraux et écrits. Il semblait très tendu et même franchement vindicatif. Je lui expliquai que son subconscient mémorisait parfaitement tout ce qu'il lisait ou entendait, mais que si son esprit était hypertendu la sagesse de son moi profond ne pouvait plus refaire surface et franchir le seuil de sa conscience.

Sur mes recommandations, il récita la prière suivante matin et soir : « La sagesse infinie qui habite mon subconscient va me révéler tout ce que je dois savoir, la providence guidera mes pas dans mes études. Mes professeurs sont sensibles à l'amour et à la chaleur qui se dégagent de ma personne, je suis en paix avec eux. Conduit par la main de Dieu, je réussirai à tous mes examens. »

Trois semaines plus tard, il m'envoya une lettre dans laquelle il écrivait qu'il avait passé avec brio son examen le plus important et qu'il entretenait désormais avec ses professeurs les relations les plus cordiales.

Il était parvenu, à force de réitérer la prière que je lui avais indiquée, à ancrer dans son subconscient l'idée d'une mémoire parfaite. L'amour et la chaleur qui émanaient de sa personne, inconsciemment perçus par les professeurs, avaient instauré un climat harmonieux dans son entourage.

Un médecin met un terme à sa colère maladive

Le cratère dont j'ai fait mention plus haut et qui culmine à trois mille mètres est le cône refroidi d'un volcan autrefois actif et destructeur. J'y fis une excursion avec un groupe de touristes originaires des régions les plus diverses comme Pittsburgh, Tokyo, Stockholm ou l'Australie. Durant le voyage, j'étais assis à côté d'un médecin australien et de sa femme. Ce médecin m'avoua qu'il avait connu dans sa vie des explosions aussi dévastatrices que les éruptions de la montagne car il avait l'habitude d'être intraitable avec les autres.

Il était sujet à des emportements explosifs en voyant les articles de presse. Il écrivait sans arrêt des lettres offensantes et venimeuses aux députés, aux patrons des syndicats et à d'autres personnalités éminentes. Ce bouillonnement intérieur avait provoqué trois « éruptions » physiques sous la forme de deux attaques cardiaques graves et d'une légère apoplexie. Chaque fois, il s'était rétabli et il avait fini par comprendre qu'il était lui-même responsable de tous ces maux. A l'hôpital, une infirmière lui avait conseillé de lire le Psaume 91 ; dans son cas c'était la meilleure des médecines. Il le fit en effet et, le temps aidant, intégra dans son subconscient la portée du texte.

Depuis lors, il a appris, comme il dit, à s'adapter aux autres. Il a compris que notre monde est constitué d'individus imparfaits et soumis à des conditionnements divers. C'est justement pourquoi ils ne peuvent qu'aspirer à la perfection divine. Il a appris à rester fidèle à son moi divin et à respecter ce même caractère divin chez autrui. Il en est désormais convaincu : comprendre c'est pardonner.

Un homme rongé par le ressentiment
trouve le chemin de la guérison

Par un beau matin, je quittai mon hôtel avec un autre client pour aller sur la plage. Il ne cessait de ronchonner en s'écriant : « Je suis venu ici pour décompresser. » Il critiqua ses collègues de travail, puis s'en prit au gouvernement et même à Dieu envers qui il éprouvait un profond ressentiment. Il me dit pour conclure qu'il pourrait peut-être mieux s'en sortir si Dieu lui accordait un peu de repos. Et il ajouta : « Que puis-je faire pour améliorer ma relation avec ces gens malfaisants, pour pouvoir m'entendre avec eux ? »

Je lui rétorquai que, comme la psychologie l'avait démontré, les situations conflictuelles résultent souvent chez ceux qui y sont confrontés d'un refus pur et simple de rechercher la cause du problème en soi-même. La première phase pour régler le contentieux consiste à se libérer des difficultés auxquelles son propre moi est soumis. J'en déduisais que les démêlés de cet homme avec ses collègues de travail prenaient racine en lui-même et que son environnement professionnel n'était tout au plus qu'une cause superficielle du problème.

Il concéda qu'il était en proie à des déferlements d'agressivité et qu'il devait refouler un sentiment de hargne sans doute dû à la profonde déception suscitée par l'échec de projets ambitieux. Mes explications lui permirent d'élucider son problème ; il comprenait désormais que cette colère rentrée engendrait chez les gens de son entourage une hostilité latente à son égard. Ce qu'il désignait comme étant la haine de ses collègues n'était en fait que la projection sur eux de ses propres déceptions, de sa propre irascibilité.

Je lui prescrivis une recette spirituelle qu'il devait appliquer de manière régulière et systématique :

« Il existe un lien de cause à effet, j'en suis convaincu. Et l'atmosphère que je dégage, mes prises de position me sont renvoyées à travers les réactions de mon entourage. Il est clair que mon effervescence intérieure et mon exaspération déclenchent chez les êtres humains, mais également chez les animaux, de la haine et de l'irritabilité. Je sais que tous les événements de ma vie obéissent à un schéma conscient ou inconscient : je m'exprime, je me comporte, je réagis en fonction de mes pensées et de mes sentiments.

« Je m'administre ce remède spirituel plusieurs fois par jour. Dieu est au centre de moi-même et il active mes pensées, mes paroles et mes actions. J'éprouve à l'égard des personnes de mon entourage ou d'autres milieux une affection profonde. Un sentiment d'absolu rayonne à l'intérieur de moi-même. La paix est la force de Dieu et mon esprit, mon cœur, tout mon être s'immerge dans ce torrent de paix. Je suis en osmose avec la paix infinie de Dieu. Je fais partie de l'esprit divin.

« Il est évident qu'aucun homme, aucun facteur extérieur, aucune circonstance de la vie n'a le pouvoir de m'irriter, de me déstabiliser, de me faire perdre le contrôle de moi-même sans l'accord préalable de ma volonté. Ma pensée est créatrice. C'est en toute conscience que j'écarte de moi toutes les images négatives, toutes les suggestions pernicieuses. J'affirme que Dieu me guide et veille sur moi. Dieu est mon véritable employeur, je travaille pour lui.

« Mon moi véritable est d'essence divine et il ne peut être blessé, handicapé, entravé. Il ne fait aucun doute que j'ai moi-même porté atteinte à ma personne en exprimant sur moi des jugements défavorables et offensants. Il émane de ma personne de l'amour et de la joie. Je sais que la bonté, la beauté, la vérité accompagneront mes pas dans toutes les étapes de mon existence car j'habite pour l'éternité la maison du Seigneur. »

Trois semaines s'écoulèrent au bout desquelles il m'expédia une lettre. Il écrivait que, grâce à la méthode que je préconisais pour l'hygiène de l'esprit, la sérénité, le calme, la paix intérieure s'étaient substitués au « chaos bouillonnant » de ses états d'âme.

Quelle attitude philosophique adopter
à l'égard d'autrui ?

Un homme d'affaires japonais rencontré à Hawaï me fit part de sa philosophie personnelle : « Je suis dans le monde des affaires depuis cinquante ans, j'ai beaucoup voyagé et j'ai constaté que les gens sont foncièrement respectables et honnêtes. Ils sont très différents les uns des autres, ils ont suivi une scolarité particulière, ils ont été conditionnés de manière multiple et sont le produit d'une éducation, d'une formation professionnelle et de modes de pensée spécifiques. En outre, ils ont des coutumes et des convictions religieuses qui divergent. Je les prends tels qu'ils sont. Je sais qu'on n'attire pas les clients en étant désagréables avec eux ; c'est pourquoi j'essaie toujours de garder mon calme. J'évite systématiquement de me laisser aller à la colère. Je souhaite à chacun d'être heureux ; quant à moi, je suis mon petit bonhomme de chemin. »

Il me montra une liste de dix clients qui lui devaient de grosses sommes d'argent et qui n'avaient pas réagi à ses lettres de rappel. « Je prie matin et soir pour eux tous, me dit-il, afin que Dieu fasse prospérer leurs affaires et leur accorde une profusion de bienfaits. Je prie pour que chacun d'eux soit disposé à payer ses factures, pour qu'ils soient tous favorisés par le destin, pour que l'honnêteté s'installe dans leur vie. J'ai commencé il y a deux mois, et depuis huit d'entre eux ont déjà payé en s'excusant du retard. Je sais que les deux qui restent feront tôt ou tard la même chose. »

Cet homme d'affaires avait découvert qu'en changeant d'état d'esprit à l'égard de ses clients oublieux, il changeait aussi leur comportement.

La clé de rapports humains équilibrés

Traitez les gens avec respect ! Saluez, honorez leur dimension divine ! Propagez autour de vous l'amour et la chaleur ! Soyez convaincu que quelqu'un de bien adapté à la situation qui l'entoure ne réagit jamais de manière grincheuse ou belliqueuse. Ceux qui se comportent ainsi souffrent d'un quelconque malaise mental ou psychique ; « ils sont dévorés par un démon intérieur » comme disent les sorciers polynésiens. Ils sont victimes d'une torture morale.

Votre moi véritable est d'essence divine et ne peut en aucune manière être inhibé ou vilipendé. Si vous rencontrez un cas difficile placez-le sous la sauvegarde de Dieu. Il vous laisse la liberté de Lui confier la tutelle de cette personne. Vous aurez alors l'impression d'être au milieu d'une prairie verdoyante parcourue par une source d'eau pure.

RÉSUMÉ

1. L'une des principales raisons pour lesquelles la vie de certaines personnes est un échec quotidien réside dans leur incapacité à s'entendre avec les autres.

2. Chaque individu, soyez-en convaincu, est un enfant de Dieu et chemine en tant que tel sur la terre. Si vous respectez, si vous honorez votre dimension divine vous ferez forcément de même à l'égard d'autrui.

3. Un maître d'hôtel qui doit servir un client lunatique, mal dégrossi et toujours insatisfait le traite avec chaleur, politesse et considération car il a compris que cet homme est victime d'un malaise d'ordre psychologique. En se présentant devant lui il répète constamment : « Dieu aime cet homme. » Son comportement fait fondre la glace qui gelait

le cœur du client et lui rapporte des dividendes sur le plan spirituel et matériel.

4. Comprendre c'est pardonner. Si vous saisissez la cause de la déchirure intérieure dont quelqu'un d'autre est victime vous ferez preuve à son égard de plus de pitié et de compréhension. Vous saurez que son attitude est dictée par une éducation, qu'elle est le résultat d'un déterminisme.

5. N'oubliez pas que personne n'est à même de vous offusquer, de vous agacer ou de vous provoquer sans emprunter la voie de vos propres pensées. Mais celles-ci sont totalement sous votre contrôle.

6. Les frictions, les déchirements intérieurs, la colère ont des conséquences nuisibles sur vos études et sur votre mémoire car la sagesse de votre moi profond ne parvient plus à franchir le seuil de votre conscience quand vous êtes tendu et belliqueux. Communiquez aux autres votre amour et votre chaleur au point d'éprouver un profond sentiment d'harmonie quand vous pensez à eux.

7. Trop d'énervement, trop d'irritabilité peuvent provoquer des infarctus ou d'autres lésions tout aussi graves. Lisez le Psaume 91 pour neutraliser des tensions aussi préjudiciables à votre santé ! Méditez les principes qu'il contient et intégrez-les à votre subconscient ! Ainsi pourrez-vous bannir tout sentiment d'hostilité, toute colère refoulée. Restez fidèle aux vérités divines à l'intérieur de vous-même et vous vivrez dans la joie.

8. Si l'on veut établir de bonnes relations avec les autres, il faut d'abord plonger en soi-même et se demander : serait-il possible que les réactions de rejet et d'hostilité témoignées par les autres à mon égard fussent le reflet de mes propres déceptions, de ma propre antipathie ?

9. Il existe une loi qui régit le lien de cause à effet ; elle fonctionne toujours et en tout lieu. L'atmosphère que vous

créez, vos prises de position vous reviennent comme un écho à travers les réactions des autres.

10. Prenez les gens tels qu'ils sont et n'essayez pas de les changer. Ils agissent conformément à leur éducation, aux conditionnements préalables qu'ils ont subis, à des modes de pensée ancrés en eux. Rendez-leur hommage et consacrez-vous à vos propres activités.

11. Si certaines personnes vous doivent de l'argent, priez pour que la vie leur accorde du bien-être, de la réussite, du bonheur. Dites-vous que chacune d'elle est droite et honnête et que, guidée par la providence, elle paiera ses dettes.

12. La clé de rapports harmonieux avec les autres consiste à laisser pleinement s'épanouir votre dimension divine et la leur.

13. Si vous êtes en présence d'une personnalité avec laquelle il est difficile de communiquer, placez-la sous la sauvegarde de Dieu. Dieu vous accorde cette liberté. Les aspects désagréables de votre relation à cette personne disparaîtront. *Tes prières, Il les exaucera et tu pourras acquitter tes vœux* (Job 22, 27).

18

QUAND DIEU VOUS ACCOMPAGNE
DANS VOS DÉPLACEMENTS

Lors de ma dernière tournée de conférences en Europe qui devait me conduire au Portugal, en France, en Angleterre et en Irlande, je pris l'avion à l'aéroport de New York. C'est là que je rencontrai mon vieil ami Jack Treadwell qui est l'auteur d'un best-seller sur les phénomènes parapsychiques. Il me raconta une histoire dont je ne voudrais pas vous priver.

Un homme d'un certain âge qui habitait le même hôtel que lui était littéralement réduit à l'état d'infirme à la suite d'une crise d'arthrite. Mon ami lui avait proposé d'endiguer la crise en puisant dans les ressources thérapeutiques de la prière. Il lui recommanda le texte suivant : « L'amour réparateur de Dieu est à l'œuvre et transforme chaque atome de mon corps pour qu'il devienne le siège de la santé, de la beauté et de la perfection. » Le malade récita chaque jour cette formule avec conviction pendant dix à quinze minutes. Au bout de deux mois, il avait surmonté son handicap et pouvait marcher normalement. Toutes ses douleurs articulaires avaient disparu. Il avait décidé de se sentir proche de Dieu sur le plan mental, spirituel et corporel au cours de tous ses déplacements.

Cette guérison n'a rien d'extraordinaire. L'action thérapeutique de la force infinie qui siège dans notre corps était une solution, mais il n'avait jamais fait appel à elle auparavant. Jack Treadwell lui enseigna comment susciter l'émergence de ce don divin à l'intérieur de soi et comment le mettre en action. La Bible nous le rappelle : *C'est pourquoi je t'invite à raviver le don spirituel que Dieu a déposé en toi...* (Deuxième Épître à Timothée 1, 6). Si Dieu vous accompagne dans tous vos voyages, guide votre cheminement et vos paroles, tout ce qui Lui est étranger dans votre esprit, votre âme, votre corps, sur le théâtre de votre existence tombera en poussière.

Comment voyager sous la tutelle de Dieu

Quand je pars en voyage dans le cadre de mes séminaires ou à titre privé, je récite toujours la prière suivante : « Mon périple est placé sous la protection du Seigneur. Les chemins que j'emprunterai seront parsemés de joie, les sentiers parcourus baigneront dans la paix. Je voyage guidé par la providence et l'Esprit saint. Mon itinéraire est l'allée royale des anciens, le sentier du milieu dont parle Bouddha, la porte étroite évoquée par le Christ, la route triomphale des conquérants car je règne sur ma pensée et ma sensibilité. J'envoie tous mes émissaires au-devant de moi : l'amour, la beauté, la paix et la lumière de Dieu ; ils me précèdent et aplanissent mon parcours, ils me rendent heureux, ils réjouissent ceux que je rencontre. Dieu m'accompagne en tous lieux et je perçois la présence de ses ambassadeurs, la paix et la joie, où que je me trouve. Je sais qu'en gardant les yeux fixés sur Lui il ne peut rien m'arriver. Si je me déplace en avion, en train, en bus ou en voiture, ou même à pied, je me sens toujours protégé par Sa présence et je vais d'un endroit à un autre, heureux et libre. L'esprit de Dieu plane au-dessus de ma tête. Toutes les voies aériennes et terrestres que je parcours sont les étapes de Sa marche triomphale. C'est merveilleux ! »

J'ai recommandé cette prière à de nombreuses personnes qui voyagent beaucoup et qui, surtout, prennent souvent l'avion. De fait, elles ont l'air d'être protégées comme par enchantement. Leur esprit et leur cœur sont pleinement conscients d'être sous la sauvegarde de Dieu, et leur subconscient est tellement imprégné de cette conviction que leur voyage se déroule toujours sans accidents. *Mais il dit à la femme* : « *ta foi t'a sauvée, va en paix* » (Evangile selon saint Luc 7, 50).

Croyez-vous aux miracles ?

Ma destination première au départ de New York était Lisbonne. Le Portugal est un pays de montagnes rudes et de grandes plaines avec des villages qui datent du XIIIe ou du XIVe siècle où des paysans cultivent le chêne liège. A Lisbonne, je louai une voiture avec un chauffeur et, accompagné de ma nièce qui demeure dans la région, je me rendis sur le lieu de pèlerinage de Fatima. Notre chauffeur nous raconta les détails de l'apparition.

Le 13 mai 1917, la Sainte Vierge apparut à trois enfants de bergers. Lucia, Francisco et Jacinta baignèrent tout à coup dans un halo lumineux et, en levant les yeux vers la cime de l'arbre devant lequel ils se trouvaient, aperçurent la silhouette d'une femme qui ressemblait à Marie et qui était plus éblouissante que le soleil. Lucia demanda à cette femme qui elle était et celle-ci lui répondit : « Je descends du ciel. Revenez ici le treizième jour de chaque mois, à la même heure, cinq fois. »

Quand ils firent état de l'événement, les enfants furent accusés de mensonge par plusieurs personnes, mais la plupart des gens ajoutèrent foi à leurs déclarations. Durant les mois qui suivirent, le 13 du mois, des milliers de pèlerins accompagnèrent les enfants au pied de l'arbre. Eux seuls purent voir la mère de Dieu, mais une quantité innombrable de malades guérirent miraculeusement.

La dernière apparition eut lieu le 13 octobre. C'était un jour de pluie. Un faisceau lumineux annonça la présence de la Vierge à la foule. Elle fit plusieurs prophéties et déclara entre autres que la guerre qui faisait rage depuis plus de trois ans maintenant arrivait bientôt à son terme. Notre chauffeur nous rapporta que ce jour-là quarante mille personnes purent observer la rotation miraculeuse du soleil. La pluie ayant subitement cessé, la foule était tombée à genoux et avait vu l'astre s'entourer d'une couronne incandescente et tournoyer sur lui-même comme un disque de feu.

Nous visitâmes la chapelle érigée sur le lieu du prodige. Notre chauffeur attira notre attention sur une femme qui se déplaçait avec des béquilles, la jambe droite paralysée. Elle était accompagnée de son fils. Le chauffeur nous traduisit la prière portugaise de la femme : « Si je m'agenouille à l'endroit où est apparue la mère de Dieu je serai guérie. Que Dieu soit loué. »

Elle s'agenouilla avec peine, un chapelet à la main. Elle priait la Vierge avec ferveur. Un quart d'heure plus tard nous la vîmes se relever : guérie, elle sortit de la chapelle sans béquilles en pleurant de joie. *Si tu peux !... reprit Jésus ; tout est possible à celui qui croit* (Marc 9, 23).

La signification d'un miracle

Un miracle n'enfreint pas les lois de la nature. Il ne prouve rien d'impossible, bien au contraire ; il démontre l'existence d'une virtualité. Un miracle, c'est ce qui se produit quand nous nous reposons totalement sur la force infinie qui est en nous.

La femme dont il fut question à l'instant s'est guérie par sa foi, par l'espoir placé dans cette foi. Elle était convaincue qu'en se rendant sur les lieux mêmes où, selon elle, l'apparition s'était produite, elle pourrait recouvrer ses facultés. Cette conviction inébranlable avait libéré l'énergie réparatrice de son subconscient ! La loi déterminante de la vie, c'est ce pouvoir de la foi, de la conviction intérieure. Pour synthétiser, je dirais que la foi, c'est la combinaison d'éléments rationnels et spirituels. Croire, c'est reconnaître comme vrai. Quand, de manière consciente et réfléchie, votre raison postule l'existence d'une réalité, elle enclenche une réaction équivalente dans votre subconscient, ce dernier étant en accord avec la sagesse infinie qui est en vous et qui fait partie intégrante d'un esprit universel. Cette miraculée devait sa guérison à une ferveur profonde, absolue.

Comment exploiter le pouvoir thérapeutique de la force infinie

La méthode que je préconise et dont les ressorts sont de nature mentale et spirituelle n'a rien à voir avec la magie. Elle se distingue totalement des pratiques superstitieuses qui consistent à toucher des reliques, à s'immerger dans certaines eaux, à embrasser les ossements des saints ou à visiter des lieux sacrés. Mon propos est plutôt d'attirer l'attention du lecteur sur les réactions mentales et psychiques que peut entraîner la découverte en soi d'un processus de guérison inhérent à tout l'univers et capable d'en modifier certaines conjonctures.

Une guérison obtenue par des mécanismes psychiques n'est pas le résultat d'une foi aveugle. Un guérisseur qui a besoin de ce manque de discernement de la part du patient, est une personne qui obtient peut-être des résultats, mais qui n'a aucune approche intellectuelle ou scientifique des échanges qui s'effectuent entre la conscience et le subconscient. Il peut prétendre posséder un pouvoir « magique » ou « satanique », la crédulité du malade engendrera peut-être des résultats positifs.

En revanche, le thérapeute qui possède une connaissance approfondie de l'univers psychique et spirituel du sujet agit en pleine connaissance de cause. Il connaît les lois de l'esprit et la dimension divine de chaque individu. Il s'appuie sur elle pour exploiter les ressources de l'esprit comme un puissant reconstituant.

Le cas de la Vierge

La mère de Dieu est également appelée Vierge Marie. La virginité renvoie à l'idée de pureté tandis que le mot latin *mare* signifie « mer ». Cette « mer pure » souligne le caractère féminin de Dieu. Dans le vocabulaire allégorique de l'Antiquité, cet aspect féminin de la divinité – autrement dit le subconscient – était symbolisé par la déesse Isis dont aucun humain ne pouvait soulever le voile. Chez les Perses, elle portait le nom de Sophie, chez les Ephésiens celui de Diane. Ailleurs elle circule sous différentes identités : Astarté, Mylitta ou Maïa, la mère de Bouddha. Mais, même si nous nous référons à la figure symbolique de la mère de Dieu, nous devons rester conscients du fait que ce dernier est dépourvu de toute ascendance physique. Il est esprit, Il est le principe même de la vie. Sous le terme de « mère de Dieu » il faut plutôt entendre l'idée d'un principe maternel, le concept du bien/bon. C'est une attitude mentale qui est désignée, non une substance physique. La « mère de Dieu », la « Madone » appartient au mythe, c'est une réalité psychologique, une projection sublime synonyme d'amour, de beauté, d'équilibre à l'image de cet esprit divin dont tout découle.

Les apparitions de Fatima et de Lourdes étaient-elles donc des visions subjectives, de purs produits de la pensée ?

Si je vous hypnotisais et si, durant l'état de transe, je vous suggérais qu'à votre réveil vous reverriez votre grand-mère défunte et que vous parleriez avec elle, votre subconscient projetterait sur le réel l'image de votre grand-mère, vous la verriez concrètement et vous parleriez avec elle ; elle ferait peut-être des prophéties touchant votre vie ou le destin du monde. Votre subconscient se manifesterait sous forme d'images conformes au contenu des suggestions. N'oubliez pas qu'il possède en mémoire le portrait de la disparue. Bien sûr, vous ne verriez pas votre vraie grand-mère qui séjourne sans doute depuis longtemps dans une autre dimension ; vous seriez simplement confronté à une hallucination. Les autres personnes présentes dans la pièce où vous seriez hypnotisé ne pourraient voir votre grand-mère. Vous seul seriez en mesure d'identifier l'image projetée par votre esprit. A Fatima, seuls les trois enfants, et non la multitude qui les entourait, virent la mère de Dieu.

A Lourdes, seule la jeune Bernadette eut des visions. Son enfance fut placée sous le signe d'une extrême solitude. Elle était asthmatique et victime de blocages émotionnels. Ce caractère hypersensible, la puissance évocatrice de son imagination ont joué un rôle déterminant dans ce processus de transe autohypnotique. Son subconscient projeta sur la réalité l'image d'une femme qui ressemblait à la statue de la Vierge dans l'église de son village ou à une illustration représentant Marie dans un missel. Tous les événements dont elle fit l'expérience ont donc été produits par son esprit. Les personnes qui désirent ardemment voir une entité sacrée conditionnent leur subconscient pour qu'elle leur apparaisse sous un aspect conforme à l'idée qu'elles s'en font, idée généralement influencée par des fresques ou des gravures.

241

Pourquoi les prophéties se réalisent-elles ?

A Fatima, la Vierge fit plusieurs prédictions : Jacinta et Francisco mourraient de la grippe et Lucia entrerait dans un couvent. Toutes ces prédictions se sont accomplies.

N'oubliez pas que les contours de votre avenir sont déjà tracés dans votre esprit et qu'un bon médium ou un voyant perspicace pourraient vous révéler ce qui vous attend avec une certaine précision. Votre avenir est déjà enraciné dans vos pensées dont il sera plus tard l'émanation. Cependant, par la prière, vous pouvez modifier la structure de votre avenir si votre méditation s'appuie sur les principes universels. Changez les paramètres de vos pensées, la nature de vos convictions en utilisant comme seuls critères l'harmonie, la santé, l'amour et l'équité, ne quittez pas le cadre de l'ordre et du droit divin. Toutes vos initiatives, toutes vos entreprises porteront le sceau de la joie, la marque de la paix. Nulle prédiction négative ne pourra se réaliser.

Les trois enfants de Fatima furent tellement guidés par leur propre subconscient que les prophéties de la Vierge auxquelles ils croyaient de manière absolue se sont effectivement accomplies.

Le pouvoir de votre subconscient se vérifie en tout lieu

Durant mon voyage à Paris, des grèves éclatèrent en France où régnait une certaine agitation sociale. J'arrivai toutefois à bon port et je fus accueilli avec chaleur par le docteur Mary Sterling, qui a traduit en français un grand nombre de mes livres et qui est la fondatrice d'« Unité universelle ». Les membres de son association parviennent à des guérisons de manière étonnante. Mes conférences, qui se sont tenues en présence d'un large public, furent un succès mémorable.

A l'issue de l'une d'elles, une jeune femme vint me voir à mon hôtel pour me consulter à propos d'un problème d'ordre affectif. En quittant la province pour venir s'installer à Paris, elle avait d'abord travaillé comme couturière. Mais ses employeurs étaient odieux, si bien qu'elle finit par les détester. Elle constata bientôt que son acuité visuelle diminuait. Elle alla chez un ophtalmologue qui lui conseilla d'arrêter la couture et de retourner à la campagne. La nécessité de gagner sa vie l'en empêcha et sa vue diminua de plus en plus. Elle consulta un autre praticien qui lui expliqua la chose suivante : elle devait impérativement changer de travail car elle cherchait inconsciemment à occulter cet environnement hostile et la présence d'employeurs abjects. Elle suivit les conseils de ce médecin et parvint à dénicher un autre emploi. Elle était désormais heureuse et ses problèmes de vue s'étaient sensiblement atténués.

De fait, cette jeune femme ne supportait plus la vue de ses patrons. Son subconscient avait réagi en conséquence et fait en sorte qu'elle ne vît plus ces gens et leur entourage. Par la suite, elle apprit à évacuer la haine qu'elle éprouvait pour ses anciens employeurs. Son conflit émotionnel était donc définitivement réglé.

Si, comme cette jeune fille, votre acuité visuelle tend à décliner rapidement, demandez-vous si, inconsciemment, vous n'êtes pas en train de faire de vos yeux un bouc émissaire. N'excluez aucune possibilité ! La réponse – et donc la solution – est en vous.

A Orly, c'est une journaliste française, amie de longue date, qui vint me chercher car les chauffeurs de taxi étaient en grève. Avant et pendant ses voyages, elle s'imprègne comme moi de la prière que j'ai citée au début de ce chapitre. Elle m'a confié que cette prière était devenue une seconde nature.

Peu avant ma visite, elle avait projeté de faire un voyage en avion en Afrique du Nord, en Grèce et dans d'autres pays méditerranéens. Mais, une nuit, je lui apparus en rêve et je lui dis : « Attendez ! Reportez la date de votre voyage, l'avion va avoir un accident ! »

Elle annula sa réservation et l'appareil qu'elle devait emprunter s'écrasa effectivement. Cette journaliste connaissait le mode de fonctionnement de son moi profond. Son subconscient projeta sur l'écran de sa réalité intérieure le portrait d'une personne de confiance, d'un confident. Sa part de divinité l'avait ainsi préservée de la mort : ... *c'est en vision que je me révèle à lui, c'est dans un songe que je lui parle* (Nombres 12,6).

Un Parisien me raconta à l'issue d'une de mes conférences qu'il possédait la version française de mon livre *La Puissance de votre subconscient* et qu'il s'était enrichi en appliquant les techniques que je décris. Chaque soir, avant de s'endormir, et pendant environ dix minutes, il s'était conforté dans l'idée qu'il accéderait à la fortune. Bercé par cette conviction constamment réaffirmée, il était parvenu, à force de répétitions acharnées, à stimuler son subconscient et il ne tarda pas à ressembler à Midas, ce roi perse qui transformait en or tout ce qu'il touchait. Un jour, il gagna deux cent mille francs à la loterie nationale. Ces dernières années son entreprise avait régulièrement doublé son chiffre d'affaires bien que l'industrie textile ne connût pas à l'époque une phase de prospérité.

Il existe toujours une solution

A Paris, je pris l'avion pour Londres car je devais faire une série de conférences dans la capitale britannique et à Bournemouth, station balnéaire située au sud de l'Angleterre. A mes côtés se trouvait une jeune Française qui me dit à brûle-pourpoint : « Je vous accompagne à Londres. J'ai envie de réécouter vos interventions. Votre exposé à Paris m'a profondément bouleversée. » Je la remerciai et elle ajouta dans le feu de la conversation : « Au cours d'une conférence vous avez expliqué que les désirs communiqués au subconscient tendent à se réaliser dans la vie. Je me suis donc concentrée sur l'idée suivante : guidée par la providence, je vais faire un voyage à Londres pour assister aux conférences du docteur Murphy, et c'est mon subconscient qui rendra possible ce projet. »

Ce n'est pas par hasard qu'elle parla à son frère, un médecin parisien réputé, de son intérêt pour les processus psychiques et « les pouvoirs immenses du subconscient ». Il lui dit tout de go : « Pourquoi ne vas-tu pas à Londres pour assister à ces conférences ? » en lui mettant dans la main une somme suffisamment élevée pour financer le voyage. Elle fut très surprise car elle avait toujours pensé que son frère, en tant que médecin, était des plus sceptiques à l'égard de ce type d'investigations.

Les voies de votre subconscient sont impénétrables. Cette jeune fille – comme des milliers d'autres personnes – a découvert qu'il existe toujours une solution : ... *cherchez et vous trouverez ; frappez et l'on vous ouvrira* (Matthieu 7, 7). Entre parenthèses : elle était encore lycéenne et ne disposait pas d'argent.

A Londres, où j'ai beaucoup d'amis, je fais une tournée de conférences tous les deux ans depuis deux décennies. Cette fois-là je fus abordé par un jeune homme : « Vous penserez sans doute que j'agis de manière immorale, me dit-il. En effet, trois mois avant le derby annuel, je m'endors chaque soir avec la même idée : découvrir le nom du vainqueur. Je répète plusieurs fois en moi-même le mot vainqueur et je m'assoupis, convaincu que mon subconscient me dévoilera la réponse. »

Trois années de suite, il a vu en rêve le premier de l'épreuve, avant même que la course ne se déroulât. L'année dernière, il a parié mille livres et a empoché une somme rondelette. Sa prémonition est limpide. Elle repose sur les principes évoqués dans ce livre et témoigne des possibilités du psychisme.

Je lui expliquai que le subconscient n'agit pas en termes de critères moraux. Il fonctionne selon une loi qui se situe au-delà du bien et du mal. Ce sont ses applications – non la loi elle-même – qui peuvent être bonnes ou mauvaises. Il est évident qu'il n'y a pas le moindre mal à deviner le vainqueur d'une course hippique, de même qu'il n'est nullement répréhensible d'essayer de prévoir les questions d'un examen avant de le passer.

Tout ce que vous demanderez en prière, croyez-le bien, vous sera accordé (Matthieu 21, 22).

Il guérit en étouffant son sentiment de culpabilité

Après avoir assisté à ma conférence sur l'autoguérison, un jeune chirurgien vint me voir. Il me montra son bras couvert d'abcès purulents. L'affection résistait aux traitements utilisés et il était à court d'indications. Je lui dis qu'il focalisait sur sa main droite un quelconque sentiment de culpabilité. Il m'avoua d'un air abattu qu'il avait pratiqué des avortements lorsqu'il était interne, et ce contre rémunération. « D'après mes convictions religieuses, c'est de l'assassinat pur et simple, continua-t-il, je me sens coupable et j'éprouve du repentir au plus profond de moi-même. Plus jamais je ne recommencerai ; désormais j'aide les gens à retrouver la santé. »

En fait, il était victime d'un phénomène autopunitif. Je lui expliquai que l'individu qui avait pratiqué ces interruptions de grossesse n'existait plus. Et ce pour plusieurs raisons : parce que chaque atome du corps se modifie au bout d'un cycle annuel et surtout parce que le psychisme d'un individu est en constante évolution. Dieu ne condamne personne. Si nous nous pardonnons à nous-mêmes, nos fautes sont effacées. La condamnation de sa propre personne vous plonge dans l'enfer, le pardon que l'on s'accorde à soi-même est source de félicité.

Le chirurgien comprit le message. Le passé était mort. Il démontra ses qualités en tant qu'homme du présent. Lors de la séance qui clôturait ma semaine de conférences il me montra à nouveau son bras : les poches de pus avaient disparu.

Saint Paul a écrit : *Oubliant le chemin parcouru, je vais droit de l'avant, tendu de tout mon être, et je cours vers le but...* (Epître aux Philippiens 3, 13-14).

Pourquoi les « guérisons miraculeuses » sont-elles possibles ?

A Glendalough, dans le comté irlandais de Wicklow, le cloître et ses environs sont appelés la « Cité des sept églises ». Le monastère fut fondé par saint Kevin, un ermite qui vivait au VIe siècle après J.-C. Il y passa quatre années dans le plus grand dénuement, se nourrissant d'herbes comestibles, de racines et de baies sauvages. Il est connu sous le nom de « saint Kevin des Miracles », car il a accompli de nombreux prodiges.

Un paysan des environs s'était blessé à l'œil avec une pierre. Sa blessure le faisait horriblement souffrir et le rendait borgne. Saint Kevin, invoquant Dieu avec ferveur, toucha l'œil estropié. Aussitôt le sang cessa de couler, les douleurs se dissipèrent : la plaie venait de guérir, le paysan voyait normalement. Ce miracle se réalisa en présence de nombreux témoins et les gens se convertirent en masse au christianisme.

Voir la couche de saint Kevin dans sa cellule de Glendalough constitue l'une des principales curiosités d'un pèlerinage effectué en ce lieu sacré. En fait cette chambre monacale est une caverne située dix mètres au-dessus d'un des deux lacs près desquels se trouve la localité. D'après la tradition, ceux qui réussissent à grimper sur le lit du saint voient se réaliser leur vœu le plus profond. Et ceux qui s'assoient sur sa chaise verront s'accomplir un deuxième vœu.

Lors de ce pèlerinage, ma sœur m'accompagnait. Nous parlâmes avec un pèlerin, une femme qui cinq ans auparavant était atteinte d'un cancer. La maladie en était déjà à un stade très avancé, mais, avec l'aide d'un guide, elle avait réussi à se glisser à l'intérieur de l'escarpement rocheux. Là elle s'était mise à implorer le secours de saint Kevin. Quelques jours plus tard, elle s'était sentie mieux et pour ainsi dire guérie. Les médecins effectuèrent des radiographies et des prélèvements et constatèrent qu'il n'y avait plus trace de cancer. Depuis cette époque, elle se portait bien et était même de constitution robuste.

Près de la fontaine plantée au milieu du cloître se trouvait un groupe de touristes. Le guide attira leur attention sur cinq empreintes digitales que la tradition attribue à saint Kevin. Il les invita à plonger une main (de préférence la gauche) dans les profondeurs du bassin et de l'y laisser le temps de formuler un souhait ou une prière. La légende rapporte que le vœu exprimé serait exaucé.

Près de la margelle se tenait un homme assez âgé. Trois ans plus tôt ses mains étaient paralysées et complètement déformées par l'arthrite. Il avait fait un pèlerinage ici, avait suivi les indications du guide et demandé à saint Kevin de le guérir. « Et je fus guéri. Regardez mes mains ! », nous dit-il. Elles étaient comme neuves.

Comment de telles guérisons sont-elles possibles ?

Le philosophe R.W. Emerson affirmait qu'il existe un esprit unique, un patrimoine spirituel commun à tous les hommes. Chaque individu possède la faculté d'accéder à cette conscience universelle, à cette totalité. Il s'agit d'une banque de données sans limite : chacun peut, grâce à elle, parcourir l'univers de Platon, faire sienne la spiritualité d'un saint, bref connaître les plus petits détails de la vie de n'importe quel homme à n'importe quelle époque. L'accès à cet esprit cosmique permet de participer à tous les événements présents et passés, d'évaluer toutes les éventualités du futur. Et c'est notre subconscient qui sert de courroie de transmission entre cette conscience universelle et nous.

Lorsque cette Irlandaise malade du cancer se mit à implorer le secours de saint Kevin, son imagination fut stimulée, son subconscient mis en éveil par la dynamique de sa foi et de ses espérances. Sa prière eut un résultat positif car sa foi profonde et son attente ardente se communiquèrent à son subconscient qui déclencha la guérison. Telle est la force infinie de l'homme, émanation de l'esprit divin qui se ramifie dans tout le cosmos.

La Bible nous dit : *Et tout ce que vous demanderez dans une prière pleine de foi, vous l'obtiendrez* (Matthieu 21, 22). *Si tu peux !... reprit Jésus ; tout est possible à celui qui croit* (Marc 9, 23).

RÉSUMÉ

1. L'amour régénérateur de Dieu peut littéralement dissoudre tout ce qui Lui est étranger, que ce soit dans votre corps ou dans votre esprit. L'amour est le remède universel par excellence. L'amour de Dieu se manifeste notamment dans le pouvoir de guérison infini qui est au cœur de la vie.

2. Dieu vous accompagnera dans vos voyages si vous invoquez Sa paix, Son amour, Sa lumière, Sa beauté pour que ces attributs divins vous précèdent dans vos étapes et aplanissent votre route en la rendant plus douce, plus confortable. Soyez convaincu que l'amour de Dieu vous entoure et vous protège.

3. Dans le cas de l'apparition de la Vierge aux trois enfants de Fatima, on peut parler de théâtralisation du subconscient : les enfants virent sur la cime d'un arbre une Madone vêtue de blanc dont le caractère pouvait s'inspirer

des statues de leur église ou des gravures de leurs missels. Dans la culture occidentale, Marie est le symbole de l'amour de Dieu, de Sa dimension féminine.

4. Sur les lieux de pèlerinage, à Lourdes et à Fatima ou encore à proximité du reliquaire de Shintô ou de Bouddha, on assiste régulièrement à des phénomènes miraculeux. Ce ne sont ni l'eau bénite, ni les reliques ni un quelconque objet qui provoquent ces miracles, mais une foi fervente, une espérance passionnée. Si, pendant un temps suffisamment long, cette foi et cette espérance ont pour objet une guérison, le subconscient sera « programmé » dans ce sens et la seule source d'énergie réparatrice qui puisse intervenir sera libérée.

5. Un miracle n'enfreint nullement les lois de la nature. Il ne réalise pas « l'impossible », il démontre au contraire l'existence d'une virtualité et révèle du même coup l'étendue des pouvoirs de la pensée.

6. Une thérapeutique qui repose sur les mécanismes psychiques se différencie d'une guérison résultant d'une foi aveugle. Dans la seconde hypothèse, tout ce qui peut aider l'homme à juguler sa peur et à la convertir en une énergie positive tournée vers la foi peut être source de guérison : les ossements des saints, les reliques, l'eau bénite auxquels sont conférées des vertus propres. Dans le cas d'une guérison psychique sans véritable intervention surnaturelle, il s'agit plutôt, pour s'exprimer dans un vocabulaire scientifique, d'une interaction entre la conscience et le subconscient. Ce n'est pas l'objet extérieur de la croyance (un reliquaire, des restes sacrés), mais bien la pensée elle-même qui provoque la guérison.

7. L'avenir, même celui de tout un peuple, est déjà inscrit dans notre esprit où il réside pour ainsi dire à l'état « préfabriqué ».

Il peut donc être appréhendé de manière prémonitoire. Mais, en apprenant à prier, l'homme apprend du même coup à détourner de sa personne tous les événements négatifs qui sont déjà pré-programmés dans son esprit. Votre avenir est l'émanation visible de pensées enracinées dans le présent. En en modifiant le contenu, vous reprogrammez votre destin.

8. Si votre acuité visuelle s'étiole rapidement demandez-vous pourquoi votre subconscient transforme vos yeux en boucs émissaires. A quoi voulez-vous vous soustraire ? Que voulez-vous évacuer de votre champ visuel ? Cherchez ce qui se cache derrière votre mal et vous guérirez.

9. Si vous vous endormez chaque soir en vous répétant que « la fortune est sur le pas de la porte », vous obtiendrez des résultats spectaculaires ; vous constaterez que votre foi en la force infinie du subconscient est votre fortune véritable, votre plus grand capital.

10. Si, convaincu que l'amour de Dieu vous enveloppe en tout lieu, vous priez pour obtenir le soutien de la providence et agir judicieusement, vous percevrez des mises en garde dans vos rêves. Ne négligez pas votre vision intérieure ! Vous aurez la clé des événements avant même qu'ils ne se produisent et vous pourrez les contourner.

11. Le subconscient connaît toujours la réponse. Si vous désirez quelque chose, imaginez de manière théâtrale la réalisation de votre aspiration, tenez-la pour vraie et elle deviendra réalité.

12. Un médecin dont le bras couvert d'abcès purulents n'arrive pas à guérir peut enfin recouvrer la santé en décidant de se couper de son passé et de se pardonner ses fautes antérieures. En cessant de s'incriminer il retrouve la plénitude de ses moyens.

13. Il existe un esprit universel. Par l'intermédiaire de notre subconscient, nous avons accès à cette conscience cosmique. Telle est la nature de la force infinie qui est en nous. Elle fait partie intégrante de l'esprit divin. Chacun de nous peut se fondre en elle pour obtenir la réponse à ses prières. *Et moi, élevé de terre, j'attirerai tous les hommes à moi* (Jean 12, 32).

TABLE

DANS LA MÊME COLLECTION

Déjà parus

CET OUVRAGE A ÉTÉ REPRODUIT
ET ACHEVÉ D'IMPRIMER SUR ROTO-PAGE
PAR L'IMPRIMERIE FLOCH À MAYENNE
EN AOÛT 1994

Éditions du Rocher
28, rue Comte-Félix-Gastaldi
Monaco

Dépôt légal : septembre 1994.
N° d'édition : CNE section commerce et industrie
Monaco : 19023.
N° d'impression : 36336.
Imprimé en France